KB082274

행복도 사람들

행복도 사람들

발 행 | 2024년 08월 08일
저 자 | 곽민경
펴낸이 | 한건희
펴낸곳 | 주식회사 부크크
출판사등록 | 2014.07.15.(제2014-16호)
주 소 | 서울특별시 금천구 가산디지털1로 119 SK트윈타워 A동 305호
전 화 | 1670-8316
이메일 | info@bookk.co.kr

ISBN | 979-11-419-0021-2

www.bookk.co.kr

행복도 사람들

곽민경 지음

프롤로그
<나와 함께한 고마운 사람에게>

2021년 겨울, 덕적도 관사에서 <행복도 사람들>을 쓰기 시작했다. 덕적도 관사에서 잠이 오지 않았다. 우울함과 답답함이 마음에 쌓이고 있었다. 어디라도 털어놓을 데가 필요했다.

처음엔 누군가에게 보여주기 위해 쓴 소설이 아니었다. 오히려 서랍 속에 넣어두고 아무에게도 보여주고 싶지 않았다. 나 자신도 마주하고 싶지 않은 어둡고 우울한 이야기였기 때문이다. 그 대신 내가 만족할 수 있는 가장 솔직한 이야기를 쓰고 싶었다. 그렇게 조금씩 2024년 무더운 여름이 될 때까지 행복도 사람들 소설을 손에서 놓지 않고 썼다.

처음엔 우울한 이야기만 떠올랐지만, 끝까지 소설을 마무리할 수 있었던 건 이 소설을 쓰면서 좋은 사람들을 많이 만났기 때문이다. 내가 힘들 때마다 도움을 주는 사람이 있었고, 내 이야기를 들어주는 사람들이 있었다. 그리고 내가 잘 되기를 기도해 주는 사람들이 있었다. 내 삶을 다시 되돌아봐도 그런 사람들을 만날 수 있었던 건 참 운이 좋은 감사한 일이라는 생각이 든다. 이 소설에 그 감사함을 담고 싶었다.

수업을 위해 만든 그림책들을 동료 선생님들께 보여준 적이 있었다. 정식 출판을 한 작품이 아닌 스케치북에 그려 넣은 이야기였다.

"선생님, 이야기가 정말 재밌어요."

"출판도 해보세요."

"그다음 작품은 언제 나오나요? 기다릴게요."

내가 쓴 그림책은 작은 것이었는데 진심으로 좋다고 말해주는 선생님들을 보면서 이 소설도 보여줄 수 있겠다는 조금의 용기가 생겼다. 내 마음의 변화가 생긴 것이다. 새로운 도전을 할 수 있게 해주신 선생님들께 감사드린다.

<행복도 사람들>은 나에게 주는 선물이다. 잊고 싶지만, 잊고 싶지 않은 나의 20대 기록이기 때문이다. 이 책의 독자에게도 선물 같은 책이 될 수 있기를 진심으로 바란다.

곽민경 드림.

CONTENT

<프롤로그> 나와 함께한 고마운 사람에게 ● 4

제1화 행복도와 지금도 ● 10

제2화 행복도 소나무 숲 ● 14

제3화 행복초등학교 ● 19

제4화 생기 있는 미술실 ● 30

제5화 교직원 회의 ● 37

제6화 반지를 찾아서 ● 45

제7화 참고인 조사 ● 50

제8화 사냥개 ● 56

제9화 정이현 ● 65

제10화 선생님은 살아있어요 ● 71

제11화 이상한 기간제 교사 ● 80

제12화 여기는 섬 ● 92

제13화 환영회 ●108

제14화 건물주 ● 128
제15화 보라색 일기장 ● 140
제16화 모든 것에는 대가가 있는 법 ● 191
제17화 만취 ● 203
제18화 일기장 도둑 ● 214
제19화 공무원 범죄 예방 연수 ● 222
제20화 의심 ● 231
제21화 납치 ● 248
제22화 은인 ● 260
제23화 너무 좋은 교사가 되려고 하지 마 ● 268
제24화 절벽 끝에 서 있는 너의 뒤에 내가 있을게 ●286
제25화 방관자 ● 299
제26화 메리 크리스마스 ● 309
제27화 고백 ● 318
제28화 이젠 진짜 안녕 ● 324
<에필로그> 당신의 이야기를 듣고 싶어요 ● 326

소설에 나오는 기관의 이름과 인물, 직위는

사실과 전혀 관계가 없음을

미리 말씀드립니다.

<행복도와 지금도>

행복도는 인천 서해에 드넓게 펼쳐진 여러 섬 중 하나다. 행복도를 찾자면 인천 서해에서 크고 작은 섬들을 지나 서쪽 맨 끝에 있다. 나름 눈에 띄는 큰 섬인 행복도는 옆에 있는 섬인 지금도와 몇 년 전에 다리로 연결됐다.

두 섬은 모녀처럼 닮은 듯 서로 달랐다. 먼저 공통점은 첫째, 섬 정중앙이 산으로 면적의 90% 이상이 산으로 뒤덮여 있다. 둘째, 해변을 따라 마을이 형성되어 있다. 행복도와 지금도는 인천 연안부두를 오고 가는 배를 탈 수 있는 선착장, 아플 때 기본적인 진료를 받을 수 있는 보건지소, 여기가 사람 사는 곳이구나, 라고 느껴지는 카페 하나, 여행객들이 머무를 수 있는 펜션들과 야영장이 있다. 셋째, 위에서 바라본 지형도 꼬리 달린 여우 모양으로 비슷하다.

하지만 섬의 크기 측면에서 다른 점도 분명했다. 행복도는 지금도 보다 3배 큰 섬이다. 행복도가 꼬리 달린 엄마

여우가 꼬리를 세우고 울부짖는 모습이라면 지금도는 엄마 여우 옆에 서서 꼬리를 내린 아기 여우처럼 생긴 섬이다. 행복도는 섬 중앙에 여러 개의 봉이 있지만, 지금도는 봉이 하나다. 마을 주민 수는 행복도는 천 명 정도 지금도는 100 명 정도다. 또한 사격훈련을 할 수 있는 사격장, 농협 마트, 은행, 우체국, 작은 슈퍼는 지금도에서는 없었다. 행복도에만 있는 귀한 것이다. 지금도 사람들은 우체국이나 은행 이용이 필요할 때 버스나 자가용을 이용해 다리를 건너온다. 10년 전만 해도 이 다리가 없었다. 다리가 없던 시절에는 지금도 사람들은 행복도에 갈 일이 있으면 배를 타고 건너왔다. 상상이 잘 가지 않는다.

섬 이름이 왜 행복도와 지금도인 지에 대한 정확한 유래는 알 수 없다. 입에서 입으로 전해 내려오는 이야기로는 해전에서 패배한 장군이 바다에서 표류하다가 적을 피해 행복도에 오게 되었는데 지내는 동안 행복했다고 하여 행복도가 되었다고 한다. 지금도(地金島)는 '땅이 금인 섬'이라는 한자 뜻이다. 하지만 지금도 주민들은 한자와 상관없이 지금 지금도에서 살고 있으니 지금도가 된 것이라고 말한다. '인생에서 가장 중요한 시간은 과거나 미래가 아닌 지금(只今)이야.'라는 명언처럼.

누구든지 인천 연안부두에서 1시간 조금 넘게 배를 타면 행복도와 지금도에 갈 수 있다. 배 요금도 나름 합리적이다. 성인 기준 여행객이라면 왕복 오만 원에 섬 주민이라면 왕복 만 원에 이 섬을 오갈 수 있다. 배는 육지에서 행복도와 지금도를 갈 수 있는 일반적이고, 유일한 방법이다. 배는 오전과 오후에 각각 차도선과 쾌속선이 뜬다. 하루에 총 네 번 운행하는 셈이다. 섬에서 아파서 쓰러지는 응급상황에서는 배가 아닌 비행기를 타고 육지로 나갈 수 있다. 아주 드물고, 특별한 경우다.

배 운영 여부는 당일 아침 여객터미널 홈페이지나 앱으로 확인해야 한다. 그날그날 달라지는 바다 날씨는 변덕을 부리고, 그 바다의 변덕이 배가 뜰지 안 뜰지 결정한다. 그래서 당일이 되기 전 미리 배가 뜰지 안 뜰지 확실히 아는 건 신뿐이다. 사람들은 일기 예보를 보고 추측할 뿐이다.

안전한 배 운항에 영향을 주는 날씨는 바람과 안개다. 하늘은 맑지만, 풍속이 15m/s 이상이거나 파고(파도의 높이)가 1.5m 이상으로 높다면 배가 뜨지 않을 확률이 매우 높다. 눈이 많이 와서 바닷물이 얼거나 안개가 심해 바닷길이 안 보인다면 배는 뜨지 않는다. 비나 흐린 날씨는 의외로 영향을 주지 않는다.

행복도는 유독 심한 안개가 자주 낀다. 안개가 도로까지 그윽하게 깔린 날이면 멀리 있는 산꼭대기는 물론 앞 사람을 알아보지 못할 때도 있다. 집 앞 마트에 가는 일도 힘들어진다.

불행 중 다행은 안개가 하루 내내 껴있는 것은 아니다. 운수가 좋은 날이면 오전에 시야를 가렸던 안개가 오후에는 걷히기도 한다. 그런 날이면 배 운항 상태도 '안개 대기'가 된다. 배 안의 승객들은 안개가 걷히길 기다린다. 그러다 '정상 운항'으로 바뀌어 배가 출항하기도 한다. 제시간에 배를 운항할 수도 있지만 한두 시간 늦을 수도 있다. 그건 날씨 상황에 따라 달라진다.

운이 나쁜 날이면 결국 결항이 되거나 바다로 운항한 배가 회항할 수도 있다. 이런 날이면 섬은 감옥이 된다. 육지에서의 개인적인 일정도 강제 취소된다. 육지에 있는 가족과 지인도 만날 수 없다. 섬 밖으로 못 떠나는 날이면 행복도 사람들은 서럽고, 우울해진다.

배가 뜨는 날은 좋은 날이고, 안 뜨는 날은 나쁜 날이다. 섬에서 떠나는 날 배가 뜰 것 같으면 며칠 전부터 기분이 좋아진다. 이번 주에는 섬에서 나갈 수 있겠다고 기대한다. 날씨가 안 좋아 배가 뜨기 애매한 날이면 배가 제발 떴으면 좋겠다고 기도한다. 섬 주민들은 미리미리 날씨를 확인한다. 날씨를 확인하는 것은 섬 생활에 필요한 일종의 습관이다.

<행복도 소나무 숲>

행복도는 여행객에게 인기가 많은 여행지다. 여행의 목적은 다양하다. 자전거를 타러 온 사람도 있고, 캠핑지에서 야영하러 온 사람들도 있다. 평일보다는 공휴일과 주말을 이용해 많이 찾아온다.

행복도는 등산객에게도 유명하다. 행복도의 등산 코스는 일반인 코스, 중급코스, 해변 경관 코스 등으로 지형과 풍경에 따라 여러 가지다. 가장 인기가 많은 등산 코스는 중급코스다. 중급코스는 일반인 코스보다 경사가 있어 조금 어렵다. 중급코스가 인기있는 이유는 등산길 중간에 있는 '행복 소나무 숲 '때문이다. '행복 소나무 숲'은 등산객들의 쉼터다. 높고 푸른 소나무들이 하늘을 향해 끝없이 뻗어 있고, 의자에 앉아 청량하고 맑은 공기를 마실 수 있다. 솔잎을 깔고 앉아 까끌까끌한 소나무에 기대 쉬는 등산객도 있다. 소나무 숲은 해변에서 불어오는 거친 바람을 막아주는 방풍림 역할을 하지만, 나무 틈 사이로 불어오는 높새바람은 등산객들의 땀을 식혀준다. 소나무 숲에서 한눈에 들어오는 바다는 절경이다.

"딸, 여기 너무 예쁘다. 엄마 사진 좀 찍어줘."

엄마가 소나무에 손을 얹으며 자세를 취한다.

"하나, 둘, 셋."

딸은 휴대폰으로 사진을 찍고, 사진이 잘 나왔는지 확인한다.

"이게 뭐지"

눈썹을 찌푸린 딸이 중얼거린다. 휴대폰 사진을 뚫어지게 쳐다본다. 사진 속 엄마는 혼자가 아니다. 엄마 발아래에 뭔가 이상한 게 있다. 이게 뭘까. 딸은 휴대폰에서 눈을 떼고, 엄마 뒤쪽의 솔잎 바닥을 유심히 바라본다.

"왜? 사진 몇 장 더 찍어봐."

엄마는 사진을 찍지 않는 딸을 재촉한다. 딸은 엄마 발아래와 엄마를 번갈아 보며 표정이 점점 굳어간다.

"엄마,,, 저,,, 저기."

딸은 솔잎 바닥을 손가락으로 가리킨다. 엄마도 고개를 돌려 솔잎 바닥을 본다. 바닥에는 흙투성이인 사람 손가락 여러 개가 한 두 마디로 빼꼼 나와 있다. 분명 사람 손가락이다.

"아 ---- 악!!!!!!"

모녀의 신고로 경찰이 출동한 건 20분 뒤다. 도착한 경찰들은 조사 가드를 둘러싸고, 조사를 시작한다. 현장은 부산스럽다. 조사관들은 사진을 찍고, 필요한 증거를 모은다. 펜스 띠를 걷어 올린 남자 한 명이 현장을 나온다. 마르고 키가 큰 남자는 약간의 짜증과 피곤이 얼굴에 쌓여 있다. 어제 잠복수사로 밤샌 이 형사다.

"어, 찾으라는 건 찾아봤어?"

이 형사가 푹신한 솔잎을 밟으며 나온다.

"네, 신원 조회 결과 사망자 주소가 '행복남로 15'라고 뜹니다."

전화기 너머로 들려오는 후배 송 형사의 목소리다.

"행복남로면 행복도 주민이라는 거야?"

"네, 학교 주소입니다. 사망자 이름은 정이현, 행복초등학교 교사예요."

"학교에서는 이 사건을 알고 있을까?"

이 형사는 피곤한 얼굴로 묻는다.

"모를 겁니다. 아침에 학교에서 접수된 실종신고는 없었다고 합니다."

조사 가드 밖 주변은 사람들이 모여 있다. 무슨 일이 생겼는지 궁금한 사람들의 수군거리는 소리가 들린다.

"여기 이렇게 몰려오시면 안 됩니다. 수사에 방해된다고요."

담당 수사관들은 사람들이 현장에 가까이 다가오지 못하게 가드 주변을 휘젓는다.

"행복초등학교가 여기서 차 타고 얼마 걸려?"

이 형사가 묻는다.

"10분이면 충분히 갈 겁니다."

"그래, 그럼 내가 학교에 연락하지."

"네, 알겠습니다."

송 형사는 빠르게 전화를 뚝 끊는다. 항상 할 말이 끝나기 무섭게 전화를 끊는 사람이다.

이 형사는 숨을 크게 들이킨다. 미세먼지 하나 없는 맑은 공기가 정신을 일깨운다. 흰 구름이 떠다니는 여름 하늘은 소나무와 어울린다. 공기 하나는 좋은 섬이다.

섬이나 시골이 그렇듯 전체적으로 고요한 곳이다. 그 고요함만 보면 아무 일도 일어나지 않을 것 같은 섬인데 사망 사건이라니. 아침부터 골칫거리 일이 생겼다.

그 고요함을 깨는 건 현장 근처에서 웅성거리는 구경꾼들이다. 무거운 배낭을 멘 등산객들은 옆 사람과 이야기를 하고, 키가 작은 할머니는 지팡이를 짚고서 발을 높이 들어 두리번 두리번거리기도 했다. 러닝 차림의 아저씨는 뒷짐을 지고 있다. 집에만 있다가 이게 무슨 일인가 싶어 나온 것이다.

저 구경꾼 중 이 사망 사건과 관련된 사람이 있을까. 이 형사는 의심한다. 직업병처럼 본인도 모르게 드는 생각이다. 아직 자살인지 타살인지도 모른다.

그 구경꾼 틈에서 이 형사가 놓친 사람이 있었다. 보라색 하이힐을 신은 여자. 몸에 딱 붙는 원피스를 입은 여자는 차양 모자를 쓰고 있다. 행복도에서는 보기 드문 옷차림이다.

<행복초등학교>

노란 통학버스 한 대가 학교 안으로 들어오고 있다. 버스가 멈추고, 학생들이 한 명씩 버스 계단을 내려간다. 기분이 좋아 보이는 학생들은 책가방을 메고 있다. 학생들은 자연스럽게 삼삼오오 짝을 지어 학교 건물로 걸어간다. 행복초등학교 선생님들은 현관에서 차례대로 오는 학생들을 맞이한다.

"안녕하세요."

지율이가 선생님께 인사한다.

"안녕, 지율아. 빵 먹을래?"

강유나 선생님이 묻는다.

"네, 주세요."

지율이가 고개를 끄덕인다.

선생님은 비닐장갑을 낀 손으로 모닝빵, 일회용 미니 딸기

잼, 과일 주스 하나를 지율이 손 위에 얹는다. 빵과 주스를 들기에 지율이의 손은 고사리처럼 작다.

매일 아침, 행복 초·중·고등학교 교사들은 빵과 음료로 학생들의 아침을 챙긴다. 학생들은 8시 30분에 등교하지만, 아침 메뉴를 준비하는 교사들은 7시 40분에 학교에 나와 음식을 준비한다. 아침을 먹고 오지 않는 학생들이 많아 수업 시간에 학습 효율이 떨어지는 문제를 위한 해결 방안이었다.

빵을 받은 학생들은 각자 교실로 흩어진다. 아침 독서 시간, 학생들은 받은 빵을 먹거나 책을 읽거나 1교시 수업 준비를 한다.

"딩-동 댕-동."

아침 독서 시간이 끝나고 1교시 시작을 알리는 종이 울린다. 5학년 1반 교실 뒷문에서 한 여학생이 나온다. 아까 빵을 받은 지율이다. 지율이는 같은 2층 교무실 문을 똑똑, 두드리고 연다.

행복초 교무실은 단출하지만 교무실로서 갖출 것은 다 갖췄다. 문을 열고 들어가면 맞은 편에는 유리 창문이 탁 트여 있고, 창가에는 교감 선생님이 심어놓은 상추 화분들이 여러 개 놓여 있다. 농사에 관심이 많은 교감이 햇볕만 잘 받고 물만 잘 주면 상추가 잘 자란다며 심은 거다. 처음에 손바닥보다 작던 상추 모종들이 어느새 무성하게 자랐다. 부채처럼 크고 넓은 상추들이 힘없이 늘어트려 있다.

왼쪽 벽면에는 갈색 캐비닛이 2단으로 8개씩 놓여 있고, 그 캐비넷 안에는 보관해야 할 비전자 문서들이 부서별로 노란 상자 안에 정리되어 있다. 갈색 캐비닛 옆에는 학년별 우편함들이 층층이 쌓여있다. 캐비닛 맞은편은 벽면 절반이 화이트보드다. 화이트보드에는 교직원 수, 학년별 담임 이름과 학급 당 학생 수, 전교생 수 등 학교 현황을 알 수 있다. 행복초등학교는 초·중·고등학교가 붙어있는 통합학교로 운영이 되고 있다. 학년당 1학급으로 총 6학급이 있고, 학년별 학생 수는 1학년 5명, 2학년 3명, 3학년 6명, 4학년 10명, 5학년 6명, 6학년 3명이었다. 전교생은 총 33명이고, 교직원 수는 9명이다. 영양교사는 중·고등 교사로 행복초 학생들에게 점심 급식도 같이 제공한다. 그 학교 현황을 등지고, 교감 선생님의 근무 책상이 있고, 그 책상 바로 앞에는 직사각형의 긴 회의 테이블이 있다.

그 테이블을 중심으로 유리창과 캐비닛 사이로 교무부장, 연구부장, 교무실 행정 실무사 근무 책상이 차례대로 놓여있다. 교무실에서 근무하는 행정 실무사가 대부분 민원이나 문의 전화를 받고 담당자에게 연락하는 일을 했다. 40대 후반의 여성인 실무사는 행복도 주민이자 행복고등학교에 다니는 딸이 있는 학부모다.

월요일 아침 교감은 상추에 물을 주고 있다. 오랜만에 제 시간에 출근하는 날이다. 일요일에 술을 안 마셨다. 노크 소리가 들리고, 교무실 문이 열린다.

"어, 지율아, 무슨 일이야?"

교감은 하던 일을 멈추고 묻는다.

"정이현 선생님이 아직 안 왔어요."

"그래? 여기 앉아서 잠시만 기다려 줄래?"

교감은 회의 테이블을 가리킨다. 지율이는 몸을 쭈뼛쭈뼛하며 테이블 의자에 앉는다. 지율이는 5학년 1반의 유일한 여학생으로 또래와 비교하여 키도 크고, 덩치도 컸다.

분무기를 창가에 둔 교감은 업무용 메신저를 확인한다. 정이현 선생님의 메신저는 꺼져있다. 상신한 복무도 없다. 오늘 출근 못 할 사정이 있다고 들은 것도 없다. 세상모르고 관사에서 자는 건가. 교감은 머리를 굴린다. 갑자기 출근 못 할 사정이 생긴 건가. 출근을 못 할 정도로 아플 수도 있다. 그렇다고 무단결근이라니. 문자 하나 정도는 남겨줘야지. 1교시가 시작하고 10분이 지나간다. 5학년 1반 아이들은 담임선생님도 없이 교실에 있다. 나라도 보결을 서야 하나. 머리가 복잡해진다.

"띠-리-링, 띠-리-링."

교무실 전화가 울린다. 교감은 이 전화를 받는 게 왠지 망설여진다. 불길함이 스쳐 지나간다. 안 좋은 소식을 싣고 오는 전화벨 같다. 그렇다고 전화를 안 받을 수는 없다. 결국 전화를 받는다.

"네, 행복초등학교 교무실입니다. 무엇을 도와드릴까요?"

교감이 말한다.

"아, 네, 여기는 인천 중부 경찰서입니다. 다름이 아니라 정이현 씨가 행복초등학교에 근무하고 있는 것으로 확인되는데 맞습니까?"

"네, 이 학교 교사인데... 무슨 일이시죠?"

교감은 의아하다. 왜 경찰서에서 학교로 전화가 오는 걸까.

"아침부터 이런 불미스러운 소식을 전해드리게 되어 유감입니다만 정이현 씨가 학교 인근 소나무 숲에서 시체로 발견되었습니다. 사망 원인은 아직 확실치 않습니다. 수사가 더 필요하여 연락을 드렸습니다."

"아, 아니. 정이현 선생님이..."

놀란 교감은 대답을 잇지 못한다. 지율이는 무슨 일이 생긴 건지 교감 선생님만 바라보고 있다. 교감은 입이 벌어진 채로 학생 앞에서 어떻게 반응할지 눈치가 보인다. 아이들이 알아서는 안 된다. 이런 상황을 모르는 경찰은 질문을 계속한다.

"정이현 씨 주소지가 학교로 나오던데 맞습니까?"

"네, 학교 안에 관사에서 살고 있습니다."

"제가 조사 차원에서 한 번 방문해도 되겠습니까?"

"오전 중으로 오시죠."

교감은 전화를 끊는다.

녹차 향이 퍼지는 교장실은 어느 깊은 산 속 절 같다. 물 끓는 소리가 보글보글 울려 퍼진다. 녹차를 좋아하는지 묻는 교장에게 이 형사는 뭐든 잘 마신다고 대답한다. 열린 창문으로 아침에 일찍 일어난 새소리도 들려올 정도의 정적 안에서 서로는 각자의 생각에 집중하고 있다. 선뜻 어떤 말로 입을 열어야 할지 조심스럽고 두려워 보인다.

이 형사는 벽에 걸린 빨간 전자시계를 흘낏 보며 시간을 확인한다. 곧 점심시간이고, 이야기의 갈 길은 멀었으니 빨리 입을 떼야 한다. 재킷 안쪽 주머니에서 지갑을 꺼낸 이 형사는 공무원증을 내민다.

"저는 아까 전화상 말씀드렸다시피 인천 중부 경찰서에서 근무하고 있는 이종훈 형사입니다."

"네, 말씀 들었습니다. 저는 홍명우라고 합니다."

양복을 입은 교장이 말한다. 머리카락이 비어있다.

"저는 아까 교무실에서 전화를 받은 박재국이라고 합니다."

교감이 말한다. 이 형사 맞은편 소파에 앉은 교감은 편한 운동복 차림이다. 머리카락이 풍성하다.

"학교에서 근무하는 선생님께 이런 일이 생기다니. 학교 관리자로서 너무 유감입니다만 아직 실감이 잘 안 납니다."

교장이 몇 가닥 없는 정수리를 긁적인다.

"네, 그러시겠지만, 수사가 저의 일이이다 보니 거두절미하고, 몇 가지 좀 여쭤보겠습니다."

"네, 그러시죠."

교감이 두 손을 모아 내민다.

"정이현 씨는 어떤 사람이었나요?"

이 형사는 검은 가죽 소파에서 등을 세우며 묻는다.

두 사람은 대답이 없다. 질문을 이해하지 못했다기보다는 대답의 범위가 바다처럼 광활하게 넓어서 어디서부터 어디까지 대답을 해야 할지 모르는 것 같다.

"두 분이 보시기에 생각나는 대로 편안하게 이야기해주시면 됩니다."

이 형사는 양복 안쪽 주머니에서 검은색 작은 노트와 볼펜을 꺼낸다.

"제가 보기에 정이현 선생님은 아이들을 좋아하는 분이었어요. 아이들도 그 선생님을 잘 따랐고요. 그걸 보고 교사로서 자질을 충분히 갖췄다고 생각했습니다."

이 형사는 노트에 빠르게 교장의 말을 받아적는다.

"제가 보기에도 그랬습니다. 타지에서 신규교사로 발령 나서 근무에 어려움이 많았겠지만, 싹싹하고 당찬 분이었어요. 혼자 관사에서 끼니도 잘 해결해서 드시는 것 같았고요."

교감이 말한다. 반 팔 티셔츠에는 흙이 묻어 있지만, 딱히 신경 쓰지 않는 눈치다.

보글보글 끓던 녹찻물은 이제 바글바글 끓고 있다. 물방울이 나 좀 살려달라고 터지는 것 같다. 교장은 자리에서 잠깐 일어나 뜨거운 녹차를 도자기 찻잔 세 개에 쪼르륵 조심스럽게 따른다. 그 모습이 마치 스님 같다고 이 형사는 생각한다. 습기 찬 공기에 따뜻한 수증기가 퍼지고 녹차 내음은 더 진해진다.

"드시죠."

교장이 박 교감과 이 형사 앞에 한 잔씩 놓으며 말한다.

"감사합니다."

이 형사는 찻잔을 받는다.

"확인차 몇 가지 더 여쭤보겠습니다. 정이현 선생님 나이가 어떻게 되시죠?"

이 형사가 교감에게 묻는다.

"스물여섯입니다."

“이 학교에 근무한 지는 얼마나 되었나요?”

“작년 3월에 발령받은 신규교사입니다.”

“근무한 지가 1년 4개월 정도 군요?”

“네 그렇습니다.”

“아까 여기가 타지라고 하셨는데 그럼 그분 고향은 어디시죠?”

“부산이라고 들었습니다.”

“그럼 정이현 씨 가족 관계는 어떻게 되시는지 아시나요?”

“가족이요? 가족 관계에 대해 저희가 자세히 들은 건 없습니다.”

교감이 말한다.

“이건 어디까지나 가정이지만, 저희는 모든 가능성을 열어 놓고 조사 중입니다. 만약 사망 원인이 자살이라면 혹시 짐작 가는 건 있나요? 뭐 혹시 고인을 힘들게 했던 거라던지.”

이 형사는 말끝을 흐리며 묻는다.

“글쎄요.”

교장은 녹차를 마시면서 대답에 뜸을 들인다. 짐작 가는 사망 원인을 말하는 것보다 녹차를 마시는 것이 더 중요하다는 듯이.

“그 선생님의 속사정은 그분만 알겠지요. 한 길 물속은 알아도 사람 속은 모른다고 하지 않습니까? 그분을 죽음에 이르게 할 만큼 괴롭게 한 일이나 그분께 원한을 산 사람은 제가 알기로는 없습니다."

"정이현 씨가 학생, 학부모나 동료 교사와는 다 잘 지냈다는 말씀이신가요?"

이 형사가 교감을 보며 묻는다.

"네, 별 어려움이 있어 보이지는 않았습니다. 가끔 혼자 섬에 남아 주말에 보내는 모습을 보며 외로워 보이긴 했습니다만 학교에서 잘 근무한 선생님이셨죠. 나이에 비해 어른스럽다고도 느꼈습니다."

교감이 대답한다.

"다만, 어찌 됐든 간에 이 학교 교장으로서 교사들을 챙기지 못한 것은 제 책임입니다. 선생님들을 제 가족처럼 여기는데 정이현 선생님이 젊은 나이에 첫 교직에 발을 딛자마자 이런 일을 겪다니 마음이 정말 아파요."

교장이 말한다. 이 형사는 교장의 말을 음미하면서 녹차를 한 모금 마신다. 적당히 뜨거운 녹찻물이 식도를 타고 미끄럼틀 타듯이 신나게 내려간다. 아픈 목이 따뜻해진다.

"고향이 부산이면 섬밖에는 잘 나가지 못했겠군요. 이 학교 선생님들은 전부 관사에 머물고 있나요?"

이 형사가 묻는다.

"네, 그렇습니다. 학교 안에 관사가 있어서 거기서 출퇴근 하고 있습니다."

교감이 말한다.

"혹시 고인이 머물던 관사를 잠깐 좀 볼 수 있을까요?"

"네, 물론이죠. 수사에 도움이 되는 거라면 뭐든지 돕겠습니다."

교장이 말한다.

"나중에 또다시 말씀드리겠지만 동료 교사분들도 참고인 조사를 받게 될 겁니다. 절차상 필요해서 하는 것이니 협조 부탁드립니다."

이 형사는 공무원증과 수첩을 챙겨 넣는다. 그리고 남은 녹차를 급하게 들이켰다.

<생기 있는 미술실>

이 형사는 학교 현관 입구에서 교무부장을 기다린다. 잠시 뒤에 사오십대로 보이는 여교사가 와서 자기를 교무부장이라 소개한다. 올려묶은 머리가 단정하다. 두 사람은 함께 관사로 걸어간다. 관사는 놀이터를 지나 학교 건물 뒤편에 있다.

"정이현 선생님이 머물던 관사는 여기에요."

교무부장은 빨간 지붕의 갈색 건물을 가리킨다. 두 사람은 파란색 지붕 건물과 빨간 건물 사잇길을 걷는다. 두 건물 사이로 여름 바다가 넓게 펼쳐진다.

"와."

걸음을 멈춘 이 형사는 감탄을 금치 못한다. 하늘과 맞닿은 해안선은 마음을 편하게 한다. 큰 숨을 마신다. 소금기를 머금은 바다 내음이 몸에 확 들어온다. 쌓인 피로를 풀어주는 것 같다. 잠깐 여름휴가를 낸 것 같다.

이런 바다를 보며 매일 일할 수 있다니. 다닥다닥 붙은 건물에서 닭장에 갇힌 닭처럼 근무하는 자신의 생활이 머릿속에 떠오른다.

“풍경이 그림 같네요. 매일 보아도 질리지 않겠어요.”

이 형사가 바다에서 눈을 떼지 못하고 말한다.

“여기서 3년째 이 바다를 보며 살고 있지만, 볼 때마다 새로워요. 질릴 법도 한 데 말이죠. 하지만 감탄할 정도인지는 모르겠어요. 관사 앞에 바다가 당연한 게 됐어요. 이제 관사를 보러 가시죠.”

행복도 바다를 같이 보던 교무부장은 관사 건물 앞 나무계단을 오른다. 그리고 맨 왼쪽 문으로 향한다. 1층이 전부인 관사다. 교무부장은 문 앞에서 비밀번호를 누르고 문을 연다. 이 형사도 따라 들어간다.

관사는 집이라고 하기에는 독특한 구조다. 문을 열면 바로 부엌이자 거실이다. 냉장고와 싱크대가 수직으로 놓여 있다.

“이 관사가 작년에 공사를 한 번 했어요. 작년 태풍 때 바닷물에 완전히 침수됐었거든요.”

교무부장이 신발을 벗으며 말한다. 좁은 신발장은 한 사람이 서면 공간이 없다. 형사는 신발을 따라 벗고 들어간다. 무슨 냄새가 난다. 이게 무슨 냄새지. 이 형사는 코를 킁킁거린다. 지하실에서 날법한 냄새다. 습한 곰팡이 냄새가 이 관사 전체를 감싼다.

두 사람은 거실 겸 부엌을 지나 안쪽으로 들어간다. 계단 한 칸 오르면 화장실이 있다. 욕조도 없고, 좁다. 화장실 바닥에는 죽은 바퀴벌레, 공벌레, 거미시체들이 뒹굴어 다니고 있다.

화장실 문 앞에서 왼쪽으로 꺾는다. 방 하나가 나온다. 턱이 생각보다 높다. 마치 테트리스 게임처럼 특이한 구조다. 단순하게 네모난 방은 작다. 방 입구에는 이젤과 스툴 의자가 놓여 있다.

"들어오세요."

교무부장은 스툴 의자를 책상 안쪽으로 집어넣는다. 넣지 않으면 들어올 공간이 없다. 두 사람이 방 안에 들어선다. 방은 움직일 공간 없이 꽉 찬다.

이 형사는 움직임을 최소화하면서 방 안을 둘러본다. 방 맨 안쪽에는 텐트가 있고, 텐트 안에는 매트리스 침대가 있다. 창문 아래는 나무 책상이 있고, 책상 위에는 통 안에 붓들이 서로 머리를 내밀고 있다. 굵기가 서로 다른 붓들이다. 유화로 그린 그림도 있다.

"그림을 좀 봐도 될까요?"

이 형사가 묻는다.

"네 그럼요."

교무부장이 고개를 끄덕인다. 이 형사는 캔버스 작품을 들어본다. 갯벌 풍경이다. 거칠게 칠한 짙은 회색이 갯벌을 생생하게 묘사하고 있다. 그림 맨 오른쪽 아래에는 'JLH' 이니셜이 작게 적혀있다. 고인이 이 그림의 화가라고 짐작할 수 있다.

이 형사는 그림에 문외한이지만, 갯벌을 그린 이유를 알 것 같았다. 고인도 행복도 바다에 감탄했을 것이다. 그림으로 남기고 싶을 만큼.

"그림 그리는 걸 무척 좋아하셨나 보네요."

이 형사가 갯벌 작품을 보며 말한다.

"네, 공개 수업 때도 직접 그린 그림을 수업 자료로도 활용하셨어요. 가끔 지나가다가 모래사장에 앉아서 그림 그리는 것도 봤었고요."

교무부장이 말한다.

이 형사는 작품을 내려놓고, 다른 작품이 있는지 찾아본다. 이젤 아래에도 뭔가가 있다. 크기가 다른 유화 캔버스들이다. 이젤 위에도 스케치북이 있다. 8절 크기의 스케치북은 펼쳐져 있다.

이 스툴 의자에 앉아 고인은 그림도 그리고 물감도 칠했다. 고인은 섬 밖에 자주 나가지 못했다. 그 시간 동안 그림 그리기에 집중했던 것 같다. 관사를 마치 미술실로 사용한 것이다.

이 형사는 스케치북을 들어본다. 물감을 칠하다 만 그림이 있다. 그림 속에는 남자와 여자가 함께 있다. 두 사람 뒤에는 창문과 학생 책상들이 여러 개 보인다. 학교 교실을 그린 듯하다. 연필로 스케치한 책상과 창문은 채색되어 있지 않다.

초록색 반 팔 티셔츠를 입은 남자는 무심한 표정으로 서 있다. 위에서 여자를 내려다보면서. 여자는 의자에 앉아 있다. 남자의 두 손에는 긴 끈을 쥐고 있고, 힘이 잔뜩 들어가 있다. 그 끈은 여자의 목을 칭칭 감고 있다. 검붉은 끈은 뱀 같기도 하다.

두 눈을 감은 여자의 두 손은 자기 목을 감싸고 있다. 이 고통에서 벗어나고 싶어 보인다. 여자의 표정은 괴로워 보였고, 소리를 지르는 것처럼 보였으며 숨을 쉬는 것이 힘들어 보였다. 여자가 목을 조르는 사람이 누군지 알까. 그림으로는 알 수가 없다. 여자는 어쩔 줄 모르는 고통에서 허우적거릴 뿐이다.

그 그림 속 여자가 뭔가를 말해주고 있다. 이 형사는 누군가의 말을 경청하듯이 그 그림을 빤히 바라본다. 미술실 같은 방에 적막한 공기가 감싼다.

"철-썩 - 철-썩"

적막을 깨는 건 창문 너머 소리치는 파도다.

"혹시 정이현 씨와는 평소 이야기를 나누는 사이였습니까?"

이 형사는 교장실에서 꺼낸 노트를 다시 펼친다.

"제가 담당 부장이라 업무적으로 이야기할 일은 있었습니다. 교실도 같은 층이었고요."

"정이현 씨에 대해 아예 모르지는 않겠군요. 저는 미술에 문외한이지만, 보통 미술가들은 본인의 내면을 그림으로 표현하기도 한다고 들었습니다. 이 그림을 보고 있으면 왠지 모르게 고인이 본인의 이야기를 그림으로 그렸다는 생각이 드는군요."

"자화상이라는 건가요? 자신의 괴로운 마음을 해소한 그림이었을지도 모르겠네요."

교무부장은 사무적으로 대답한다.

"이 남자는 누구일까요?"

이 형사는 그림 속 남자를 가리키며 묻는다. 마치 그 남자가 현실에도 존재하는 사람인 것처럼.

"글쎄요, 그거야 저도 모릅니다."

교무부장은 어이없는 듯이 대답한다.

이 형사는 스케치북을 넘긴다. 다른 그림들이 있나 궁금했지만 흰 도화지들이다. 마지막 그림 앞장에는 아이들 얼굴 그림이다.

"혹시 고인이 행복도에 근무하면서 힘들어 보였던 점은 없었습니까?"

이 형사가 묻는다.

“잘 모르겠네요. 개인적인 이야기를 많이 하지 못했어요.”

“그렇군요. 마지막으로 하나만 묻겠습니다. 정이현 씨 건강은 어땠는지 알고 있습니까?”

“건강이요? 글쎄요, 잘 모르겠네요.”

교무부장은 잘 이해가 안 된다는 표정으로 대답한다. 왜 이런 질문을 나한테 하는 거지.

이 형사는 시간을 확인한다. 점심시간이다.

“네, 조사에 협조해주셔서 감사합니다. 시간 관계상 여기까지만 보고, 저는 나가보도록 하겠습니다. 사건 해결에 필요한 물건이나 증거들이 관사에서 나올 수 있으니 외부인이 출입하지 못하게 부탁드립니다.”

“네, 저도 곧 점심시간이라 아이들 급식지도를 하러 가봐야 합니다.”

두 사람은 함께 미술실 같은 관사를 나온다.

<교직원 회의>

이 형사가 미술실 같은 관사를 다녀간 며칠 뒤, 첫 교직원 회의가 열린다. 교사들은 방과후 하나둘씩 교무실로 모인다. 실무사는 교감 책상 옆에 있는 캐비닛을 열고, 각종 티백을 꺼낸다. 교사들 자리 앞에는 차가 놓인다.

"선생님, 어쩌다 다치셨어요?"

하 부장이 김호진의 목을 가리킨다. 하 부장은 연구부장이자 4학년 부장이다. 학년당 한 학급인 행복초등학교 모든 담임은 학년 부장 업무를 맡고 있다.

"아, 이거요?"

3학년 담임인 호진이 자기 목을 손으로 감싼다. 목에 붙은 네모난 밴드가 꽤 크다.

"아버지 일 도와드리다가 다쳤어요."

"아, 역시 효자야."

하 부장이 엄지를 치켜세운다.

마지막으로 교장이 교감의 옆자리에 앉는다. 회의 분위기가 무겁다. 조용하다. 교사들은 모인 이유를 이미 안다.

교감이 입을 연다.

"아, 지금부터 교직원 회의를 시작하겠습니다. 오늘 모인 건 다름이 아니라 본교에서 같이 근무하셨던 동료 선생님의 안타까운 죽음으로 인해 전달할 점과 논의할 점이 있어서 모이자고 한 겁니다. 이번 주에 경찰이 와서 사건 조사를 간단하게 하고 갔습니다만, 절차상 주변 관계인에 대한 조사도 필요하다고 합니다."

"저희는 왜 받아야 하는 건가요?"

6학년 담임인 최 부장이 묻는다.

"번거롭겠지만, 여기 계신 선생님들도 정이현 선생님과 알고 지내던 동료로서 조사를 받게 될 겁니다."

교장이 말한다.

"아, 그럼 뭐 지금... 경찰은 그 선생님이 자살이나 사고사가 아니라 타살이라고 생각하는 건가요?"

당황한 하 부장이 묻는다.

"자살인지 타살인지 아직 밝혀진 건 아무것도 없어요. 단지 사망 사건에 대해 기본적인 조사를 하는 것이라고 합니다."

교감이 대신 대답한다.

"아니, 그럼 타살일 가능성도 있다는 거잖아요. 소름 끼쳐요."

하 부장이 두 팔을 손으로 감싼다.

"평일 내내 섬에 갇혀 사는데 경찰 조사는 언제 받으러 갑니까?"

호진이 가라앉은 목소리로 묻는다.

"그건 담당 형사와 이야기해보죠. 업무에 지장 안 가게 조율해 보겠습니다."

교감이 차를 한 모금 마시고 말한다.

"교감 선생님, 그 조사는 둘째고, 지금 급한 건 학교 업무에요. 정이현 선생님이 하던 업무와 담당 학급을 고스란히 저희가 떠맡게 생겼다고요. 이건 어떡합니까."

최 부장이 목소리를 높인다.

"네, 그 문제로 오늘 교육청에 연락해 봤습니다. 안타깝게도 인사 담당 장학사께서 지금 발령낼 교사가 없다고 합니다."

교감이 작은 목소리로 말한다.

분위기는 더 무거워진다. 아무도 말이 없다. 예견한 일이지만, 예견대로 되게 둘 수만은 없다.

"아무래도 방법이 없을까요? 뭐 기간제 교사라도 구해보는 건 어떨까요?"

교무부장이 묻는다.

"섬에는 기간제 교사도 안 오려고 하는 거 모릅니까? 공고 내도 희망하는 교사가 없다고요."

최 부장이 역성을 높인다.

“그렇다고 다른 해결 방법이 없잖아요. 그 기간제 교사라도 없으면 학교가 어떻게 될지 뻔한데 공고는 내봐야죠.”

교무부장이 반박한다.

“지금은 제가 매일 5학년 수업을 하고 있지만, 기간제 교사도 못 구하면 아마도 6학년 담임인 최 부장이 복식학급으로 5학년도 같이 떠맡을 수밖에 없어요.”

교감이 말한다. 최 부장은 깊은 한숨을 내쉰다.

“이게 말이 됩니까? 섬 수당 4만 원 받으면서 매일 6교시 내내 수업하는 게 얼마나 힘든 일인데 방과 후에 진이 다 빠진다고요. 그렇다고 쉴 수가 있나요? 수업 준비에 학교 업무에 정시에 퇴근도 못 하고 살아가고 있는데 인천에 전담 교사 없는 학교는 우리 학교가 유일하지 않습니까. 전 복식학급 못해요.”

최 부장이 말한다.

“인사 담당 장학사도 너무 생각이 없어요. 도서 지역 교사들이 이렇게 고생하는 거 알면 학교 굴러가는 데에 필요한 최소한 교사들은 보내줘야죠.”

하 부장이 말한다.

”이게 다 우리가 고분고분 따라주니까 그런 거 아니에요?”

교무부장이 말한다.

“조용조용, 선생님들 일단 진정 좀 하시고.”

교감이 두 팔을 휘젓는다

“나 때는 전담 교사고 뭐고 없었어요. 매일 6교시 하는 게 당연한 일이었죠. 그리고 학교 상황 알고 승진하려고 오신 분들이 학교에 대한 열정이 이거밖에 안 됩니까. 장학사도 월급 받는 직장인인데 발령 낼 교사를 만들어 낼 수도 없고, 이건 섬이라는 특별한 상황에 특별한 경우 아닙니까. 여러분들이 이해하세요.”

교감이 덧붙인 말에 다시 조용해진다. 할 말이 없다.

“선생님들 생각은 잘 알겠습니다. 저도 계속 방법을 찾아보겠지만, 지금 상황으로는 기간제 교사 외에는 별다른 방법이 없는 것은 확실합니다. 그러니 기간제 교사 공고는 교감 선생님께서 맡아서 교육청과 학교 홈페이지에 게시해주세요.”

교장이 말한다.

“네, 알겠습니다. 정이현 선생님이 맡던 업무도 누군가는 대신 해야 하는 일입니다. 업무분장도 인사관리 위원회 거쳐서 새로 다시 짜겠습니다.”

교감이 말한다. 교사들의 어깨에 짐 하나씩 얹어지는 느낌이다. 이렇게 할 일이 하나 더 는다.

”다른 문제를 다 떠나서 가깝게 지내던 선생님 한 분이 이렇게 저희 곁을 떠났습니다. 저는 아직도 이 일이 실감이

나지 않습니다. 동료 선생님들은 심적으로 더 힘들 거라는 거 잘 압니다. 하지만 이럴수록 서로 힘내고, 의지하여 어려움을 잘 이겨냈으면 좋겠습니다."

교장 선생님의 훈화 말씀이 이어진다. 모두 조용히 듣는다.

"그럼 더 말씀하시고 싶은 이야기나 의견 있는 선생님 있으신가요?"

교감이 문 쪽을 보고 묻는다. 문 쪽 자리에 2학년 담임 교사와 보건교사가 앉아있다. 두 사람은 회의 시작 후 한 마디도 없다.

"저 그럼 정이현 선생님 장례식은 어떻게 치러지는 건가요?"

2학년 담임인 유나가 망설이다가 묻는다. 보건교사가 참았던 눈물을 터트린다.

"아직 사건 해결이 되지 않아서 안치실에 있다고 합니다. 사건이 마무리되는 대로 학교 상조회에서 조의를 표하면 어떨까 생각 중입니다."

교감이 말한다.

"이번 회의 주제와 관련이 없는 내용이긴 한데 하나만 여쭤봐도 될까요?"

하 부장이 묻는다. 박 교감이 고개를 끄덕인다.

"혹시 제 반지 보신 분 있을까요?"

하 부장이 허전한 손가락을 만진다.

“다이아몬드 반지? 아, 그 자랑하던 결혼반지잖아.”

최 부장이 말한다.

“네, 지난주까지만 해도 분명 제 손에 반지가 있었는데 언제 잃어버렸는지 모르겠어요. 어느 순간 보니 없어졌어요.”

“관사나 교실은 찾아봤어?”

교무부장이 묻는다.

“제 관사나 교실도 찾아보고, 행복도 안에서 제가 갔던 곳도 샅샅이 찾아봤죠. 반지를 못 찾았는데 혹시 일하다가 발견하시는 분 이야기 좀 해주세요.”

하 부장이 울먹인다.

“그 반지 지난주 회식할 때 식당에서 마지막으로 보고 못 본 것 같습니다.”

호진이 말한다.

“아이고 어떡해 하 부장. 결혼반지 없어진 거 아내가 알면 반죽음되는 거 아니야?”

최 부장이 놀리듯 웃는다.

“반죽음이라니요.”

하 부장의 목소리가 떨린다.

”자, 반지 보신 분은 하 부장님께 가져다주시고, 저도 노심초사하는 마음에 하나만 덧붙여 말씀드리겠습니다.“

교장 선생님의 훈화 말씀은 계속된다.

”섬 학교인 만큼 학부모님과 섬 주민들이 정이현 선생님의 안타까운 일을 다 압니다. 사건이 어떻게 진행되는지도 관심이 높아요. 그러니 부디 선생님들께서 먼저 말조심해주시고, 섬에서 이상한 소문이 돌아 고인이 욕보이는 일이 없도록 부탁드립니다. 이 어려움도 잘 지나가는 것이 제 바람입니다.”

“네, 알겠습니다.”

교직원들은 대답한다.

“그럼 이것으로 교직원 회의는 마칩니다. 이상입니다.”

교감이 마무리를 짓는다.

“네, 수고하셨습니다.”

교사들은 하나둘씩 자리에서 일어난다. 하 부장만 떠나지 못한다. 혼자 머리를 쥐어뜯는다. 결혼반지. 도대체 어디서 잃어버린 거야.

“부장님, 잠깐 드릴 말씀이 있는데요.”

호진이 다가와 말을 건다.

<반지를 찾아서>

후레쉬 라이트를 켠 검은 외제차가 행복도에서 가장 높은 절벽을 지나간다. 절벽은 행복초등학교가 있는 '솔리'에서 여행지 해변이 있는 '진포리'에 가는 길에 있다. 절벽 입구에는 네모난 경고문과 체인이 걸려있다. 경고문에는 빨간 글씨로 경고라는 제목과 함께 '절대 들어가지 마세요. 위험합니다.' 적혀있다.

경고문에서 절벽까지 가는 길은 런웨이처럼 길고 뾰족하다. 아무도 들어가지 못하는 길. 아무도 들어가지 않는 길이다. 절벽의 높이는 아래가 보이지 않을 정도로 높다. 절벽 한참 아래는 등산객들의 쉼터였다. 행복도 교사가 죽기 전까지는.

검은 외제 차는 포장도로는 따라 회오리 모양으로 올라가는 듯했다. 산길을 깎아 만든 포장도로는 커브 길이 심하다. 평지보다 오르막이 많다. 사고가 나기 쉬운 길이다. 바다로 둘러싸인 행복도에서 외제 차는 보기 드문 일이다. 소금기를 머금은 바닷바람이 차를 삭게 만들기 때문이다. 비싼 외제 차보다 비싼 배가 더 인기가 많을지 모른다. 그리고 도시와 비교하여 행복도 주민들의 평균적인 경제 소득이 높지 않다.

저녁에 돌아다니는 주민은 거의 없다. 행복도의 주민 절반은 노인이다. 해가 지면 잠자리에 든다. 도로는 드물게 승용차 한 대가 빠르게 지나갈 뿐이다. 지나가는 버스도 없다. 달리던 검은 차는 가로등이 있는 포장도로를 이탈한다. 그리고 등산길을 따라 들어간다. 차가 멈춘 곳은 절벽 아래 행복도 소나무 숲이다.

검은 외제 차는 라이트와 함께 시동을 끈다. 외제 차 운전석에서 내린 남자는 긴 슬랙스 바지와 셔츠를 입고 있다. 마스크와 검은 모자를 쓰고 있다. 그리고는 주변을 두리번거린다. 다행이다. 아무도 없다. 이 늦은 시간에 등산할 사람은 없다.

소나무 숲은 깊은 어둠에 잠겨 있다. 숲은 도로와 다르게 가로등 하나 없다. 달빛 하나에 의지해 나무 윤곽을 알아볼 수 있을 정도다. 남자는 조수석에서 손전등을 꺼낸다. 챙겨오길 잘했다.

절벽 아래에 가드가 쳐져 있다. 사람이 죽은 곳이다. 의지와 상관없이 다리가 후들거린다. 여기서 포기하면 안 돼. 남자는 자신의 다리를 겨우 붙잡는다. 시작이 반이라고, 이제 반은 한 거야.

그리고 손전등을 켠다. 남자는 사건 현장에 쳐진 가드 안으로 고개를 숙여 들어간다. 오로지 손전등 빛에 의지에 무언가를 찾기 시작한다.

남자는 결혼반지를 찾는 하 부장이다. 작고 반짝이는 비싼 다이아몬드 반지. 그 반지를 무조건 찾아야 했다. 교직원 회의가 끝나고 호진이 찾아왔다. 회식 때 하 부장이 술 취한 사이 정이현이 반지를 가져가는 것을 봤다고. 아니, 훔쳐 가는 것을 봤다고.

그 여교사의 죽음으로 학교 분위기가 말이 아니었다. 정이현과는 평소에 인사 말고는 말을 제대로 섞어본 적이 없었다. 업무적으로 얽힐 일도 없었다. 개인적으로 얽힐 일은 만들지도 않았다. 좁은 학교지만 2년 동안 그렇게 지냈다. 가까이하고 싶지 않은 사람이었다.

왜 하필 행복도에서 죽은 거야. 그것도 내가 근무하는 해에. 허리를 숙인 하 부장은 반지를 찾으며 생각한다. 흙과 솔방울만 보인다. 죽어서도 끝까지 고생시키는구나. 여름밤 혼자 숲속에서 다이아몬드 반지 찾기는 쉽지 않았다.

시간이 얼마나 지났을까. 땀이 난다. 땀과 선크림이 뒤섞인다. 이렇게 찾아서는 도저히 반지를 찾지 못하겠다. 하지만 찾아야 한다. 허리를 숙인 하 부장은 손으로 솔들을 다 헤집어 가며 반지를 찾는다. 손에 흙이 묻는다. 지금은 어쩔 수 없다. 여기에 반지가 없으면 어떡하지.

하 부장이 인생에서 제일 싫어하는 세 가지가 있다. 손에 뭐 묻는 것, 공포 영화, 아내의 잔소리다. 하 부장은 겁이 많다. 그런 자신이 이런 어두운 숲에 특히나 사람 죽은 곳에 제 발로 걸어올 거라고는 상상도 못 했다.

반지가 없다. 못 찾겠다. 하 부장은 반지 찾기를 멈추고, 다시 허리를 편다. 악, 허리가 아프다. 나이가 들었나 보다. 마스크를 벗는다. 더워서 못 참겠다. 후덥지근한 공기를 크게 들이마신다. 김호진이 거짓말을 한 게 아닐까. 정이현 관사에 반지가 있을 수도 있다.

그래도 몇 번을 고민하고 온 숲이다. 반지를 찾을 다른 방법이 없었다. 이 숲에 오는 것보다 반지를 찾지 못했을 때 돌아올 아내의 잔소리가 더 공포였다. 무서움이 다시 한번 올라온다. 하 부장은 몸을 부르르 떤다.

팔이 간지럽다. 뭔가 기어오르는 것 같다. 벌레인가. 하 부장은 팔을 쳐다보지도 않고 툭툭 털어내 버린다. 멀리서 이상한 소리가 들린다. 멧돼지 울음소리다. 행복도 숲에는 멧돼지들이 밤낮 가리지 않고 출몰한다.

하 부장은 가드 밖을 나온다. 허리를 숙여 가드 밖에서도 반지를 찾는다. 등 뒤로 쓱-하고 지나간다. 정체불명의 뭔가다. 하 부장은 그대로 얼어붙는다. 심장박동 수는 빨라지고,

온몸이 곤두선다. 뒤에서 누군가가 자신을 지켜보고 있다. 아무도 모르게 와서 아무도 모르게 반지를 찾았어야 했는데 이미 늦었다. 하 부장은 눈을 감는다. 지금이라도 도망가야 해.

하 부장은 쫓기는 사람처럼 줄행랑을 친다. 외제 차를 타고, 다시는 이런 짓을 하지 않으리라 다짐한다. 검은 차는 마을을 향해 방향을 돌려 내려간다. 정체불명의 뭔가는 까마귀였다. 나뭇가지 위에 앉은 까마귀는 멀어지는 검은 외제 차를 지켜본다.

<참고인 조사>

행복초 교사들의 참고인 조사는 주말마다 이루어졌다. 금요 대기조와 토요 대기조가 아닌 교사들이 돌아가며 조사를 받았다. 제일 먼저 조사를 받은 교사는 김호진이다.

조사실 내부는 네모난 방이다. 조사실에는 책상과 의자 두 개, 컴퓨터가 있다.

"지금부터 정이현 교사 사망 사건과 관련해서 조사를 시작하도록 하겠습니다. 조사에 협조해주셔서 감사합니다. 조사 내용은 녹음 중이며 본인에게 불리한 진술은 피할 수 있습니다."

송 형사가 말한다.

"네, 알겠습니다."

"먼저 이름이 어떻게 되시죠?"

"김호진입니다."

"정이현 씨와는 관계가 어떻게 되나요?"

"행복초등학교에서 같은 발령받은 동료입니다. 신규 교사고요."

"행복초등학교에서는 언제부터 근무하신 겁니까?"

"2018년도 3월 1일 자로 발령받아 근무했습니다."

"정이현 씨도 그때 발령받은 거군요."

"네, 그렇습니다."

"평소 고인과 친분은 있으셨나요?"

"음, 조금 있었습니다. 아무래도 같은 신규 교사다 보니 서로 학교 일에 대해 모르는 게 많았거든요. 이야기도 자주 나누고, 도움을 주고받은 적도 있습니다."

"그렇군요. 시간 관계상 중요한 질문부터 드리겠습니다. 자세한 상황은 말씀드리기 어려운 점 양해 부탁드립니다."

"네."

"혹시 6월 29일부터 30일 주말에 뭘 하셨는지 말씀해 주실 수 있나요?"

"네?"

호진이 되묻는다.

"고인은 7월 1일 월요일 아침에 소나무 숲에서 발견되었습니다. 사망 추정 시각은 발견 시간을 기준으로 하루 이틀 전쯤입니다. 빠르면 일요일 늦으면 토요일로 예상되는 시간이죠."

"지금 절 의심하는 건가요?"

호진은 눈을 빠르게 깜빡인다. 두 손은 책상 아래에 있다.

"김호진 씨를 의심하는 건 아닙니다. 이건 조사받는 모든 분에게 드리고 있는 질문입니다. 아직 자살인지 타살인지도 확실하지 않고, 사망 원인도 밝혀지지 않았습니다. 저희는 단지 모든 가능성을 열어놓고 조사하고 있을 뿐입니다."

"모든 가능성."

"전 금요일 오후 배로 행복도를 떠났습니다. 그리고 토요일 오전 배로 행복도에 다시 들어왔습니다."

"금요일 오후 배는 언제 있죠?"

"4시에 있습니다."

"그러면 금요일 아침 8시 30분부터 오후 4시까지는 평소처럼 학교로 출근하고, 퇴근하신 건가요?"

"네, 3시 30분 정도에 짐을 싸고, 선착장에 갔습니다."

"토요일에 행복도로 다시 들어온 이유는 뭔가요?"

"토요 대기조였어요."

"토요 대기조요? 그게 뭔가요?"

"토요일에도 학교에 와서 근무해야 하는 거죠. 일요일에 날씨 상황이 좋지 않아 배가 뜨지 못하면 월요일에 학교 운영이 정상적으로 되기가 어렵습니다. 섬 학교니까요. 이를 대비해 대기조가 있고, 이날 담당 선생님들은 주말에 학교로 나와 근무합니다."

"토요일 오전 배로 행복도에 들어와 무엇을 하셨나요?"

"관사에 가서 쉬다가 오후 5시 30분에 교무부장님을 학교 주차장에서 만났습니다. 그 부장님 차를 타고 저녁을 먹으러 갔고요."

"저녁 식사는 어디서 몇 시에 했는지 알 수 있을까요?"

"행복도 옆에 '지금도'라는 작은 섬이 있는데 다리로 연결되어 있어서 차를 타고도 갈 수 있어요. 그 섬에 있는 식당에서 6시부터 7시까지 저녁 식사를 했습니다."

"교무부장님이라면 이영주 씨를 말하는 건가요?"

"네, 그렇습니다. 그분도 토요 대기조였습니다."

"이영주 씨와 식사를 자주 했습니까?"

송 형사가 김호진의 말을 타자로 치며 묻는다. 호진은 잠깐 생각한다.

"네, 그날은 단둘이 먹었고, 가끔 관사에서 다른 선생님들과도 같이 먹었을 때도 있습니다."

"저녁 식사 뒤에는 이영주 씨와 바로 헤어져 관사로 가셨나요?"

"네."

"관사로 돌아왔을 때는 시간이 몇 시쯤이었나요?"

"한 9시쯤 되었던 것 같습니다. 정확히 시간이 기억나지는 않지만, 해가 져 깜깜했던 기억은 납니다. 그리고 관사에서 나가지 않고, 씻고 일찍 잤습니다. 그다음 날 아침에 학교로 나가 근무했고요."

"아침에 학교에서 근무한 뒤에는 뭘 하셨나요?"

"이런 것까지 대답해야 하나요?"

"원하지 않으시면 대답하지 않으셔도 됩니다."

"근무한 뒤에는..."

호진은 말끝을 흐리며 생각에 빠진다. 목에 손을 가져다 댄다. 목에는 작은 밴드가 붙어있다. 교직원 회의 때보다 작은 밴드다. 송 형사는 힐끗 밴드를 본다.

"관사에 있었어요. 관사에 있으면 시간이 멈춘 것 같아도 게임을 하다 보면 또 금방 지나가더라고요."

"관사에서 게임했다."

송 형사가 중얼거린다. 호진의 말을 타자로 친다.

"단도직입적으로 한 가지 묻겠습니다. 정이현 씨와 평소 사이가 안 좋았던 사람이나 힘들게 했던 사람이 있었습니까?"

"그 선생님께서 얼마나 힘들었을지 당사자도 아니면서 함부로 말하기가 조심스럽네요."

호진이 작은 목소리로 말한다.

"정이현 선생님이 부산에서 태어나서 자랐다고 들었어요. 인천은 연고도 없는 타지고요. 게다가 여긴 섬이잖아요. 살기가 힘들었을 거예요. 주말마다 섬에서 안 나가고 혼자 지냈으니까요. 아, 안 나간 게 아니라 못 나간 거겠죠."

"정이현 씨가 직접 그렇게 말씀하신 적도 있었습니까? 힘들다거나 외롭다거나 그런 말들이요."

"가끔 학교 업무가 처음이라서 힘들다고는 했었어요. 하지만 행복도에서 사는 게 힘들다고 한 적은 없었습니다. 당차고 밝은 분이었거든요. 하지만 이렇게 되고 보니 그게 진심이었는지도 알 수가 없겠군요."

"그렇군요. 마지막으로 하나만 묻죠."

송 형사는 지퍼백을 하나 내민다. 지퍼백 안에는 반지 하나가 있다.

"현장에서 발견된 반지인데 정이현 선생님 물건이 아닌 것 같아서요. 다른 사람 지문이 많이 발견되었습니다. 혹시 이 반지 주인 아십니까?"

"어! 이거 하 부장님 결혼반지예요! 하 윤기 부장님이요. 몇 주 전부터 애타게 찾고 있었어요."

호진이 놀란다.

"그렇군요. 조사에 협조해주셔서 감사합니다. 이제 가보셔도 됩니다."

송 형사가 말한다.

참고인 조사는 전 직원이 다 받을 때까지 계속된다.

<사냥개>

저녁을 먹은 이 형사는 퇴근하지 않고 있다. 퇴근 시간이 지나서도 행복도 여교사 사망 사건 정리 중이다. 조사 과정에서 수집한 증거들을 검토하고 있다. 컴퓨터 옆에는 각종 서류와 4권의 노트가 쌓여 있다. 기본적인 조사는 거의 다 진행됐음에도 하나 마음에 걸리는 것이 있다.

"형사님, 스틱 두 개 맞죠?"

송 형사는 종이컵을 이 형사에게 건넨다.

"아, 고마워."

이 형사는 진하게 탄 커피잔을 받는다. 가끔 두 사람은 서로의 커피를 챙겨 타 준다.

"부럽죠? 일찍 퇴근하는 사람들 보면."

송 형사는 유리창 밖의 도로를 바라보며 말한다. 자동차가 길게 늘어서 있고, 사람들이 바쁘게 움직인다.

"부럽긴, 집 가도 반겨주는 사람도 없는데."

이 형사는 불 꺼진 거실을 떠올린다. 하나뿐인 고등학생 딸은 늦은 밤 공부하다 집에 오고, 아내는 친구들과 저녁 모임이 있다.

"전 부러워요. 칼퇴 하는 날이 달에 손에 꼽히니까요."

송 형사가 한숨을 내쉬며 커피를 한 모금 마신다.

"그나저나 몸은 괜찮아졌어? 남자 형사가 그렇게 비실비실해서 어떡해."

이 형사가 송 형사의 팔뚝을 툭 치며 말한다.

"네, 약 먹고 쉬니까 괜찮아졌어요. 행복도 가려고 배 한 번 탔다가 멀미 때문에 죽을 뻔했어요. 제가 생긴 건 이래도 속은 여립니다. 아직도 사람시체도 잘 못 보겠고, 지금도 생각하면 헛구역질 날 것 같아요. "

송 형사는 허리 높이의 회색 캐비닛에 기대어 앉는다. 그리고 이 형사 컴퓨터 옆에 쌓인 노트들을 손으로 훑는다. 고인의 일기장이다.

"형사님, 설마 이 일기장 다 읽으셨어요?"

송 형사가 묻는다.

"아니, 아직. 바빠서 읽지 못했어. 부검 결과는 나왔어?"

이 형사는 그렇게 묻고는 커피를 한 모금 마신다.

"아니, 아직요. 보나 마나 추락사 아니겠어요. 말이 나와서 말인데 행복도 여교사 사망 사건은 자살로 종결 내실 거죠?"

"자네는 여교사가 자살로 생을 마감했다고 생각하나?"

이 형사는 의자를 뒤로 젖히며 묻는다.

"사망자 근처에서 유서도 발견됐고, 그 여교사 주변 관계를 조사했을 때 살인을 저지를 만큼 원한을 샀거나 의심이 가는 사람도 없었잖아요. 동료 선생님들과 다 잘 지냈던 것 같은데 안타까워요. 얼마나 힘들었으면 그런 극단적인 선택까지 했을까."

송 형사는 그렇게 말하며 커피 한 모금을 마신다.

유서는 사망한 여교사 근처에서 발견되었다. 종이에 '태어나지 않았다면 더 좋았을 텐데, 외롭고 힘들어서 죽고 싶다.' 라고 적혀있었다. 하지만 그 교사가 직접 썼는지는 확인할 수 없었다. 종이의 글씨는 자필이 아닌 키보드로 입력하여 인쇄된 글씨였기 때문이다.

"그러면 그 여교사가 손가락에 끼워져 있던 다른 교사의 다이아몬드 반지는 뭐라고 생각해?"

이 형사가 진지하게 묻는다.

"그 다이아몬드 반지 주인인 남자 교사의 말대로라면 정이현 씨가 훔쳤다고 주장하는데"

"송 형사, 그 말이 신빙성이 있다고 생각해? 아닐 가능성도 있지."

"아닐 가능성이요?"

"그래, 그 남자 교사인 하 윤기 씨가 정이현 씨와 반지 싸움하다가 생긴 사고사일 수도 있지."

"둘이 치정 관계이기라도 했다는 거예요? 너무 멀리 가신 것 같은데요. 참고인 조사 때 하 윤기 씨는 인사만 하고, 별다른 친분이 없었다고 했어요. 이렇게 엮이게 된 것에 억울해 보였고요."

"그게 아니라고 해도 누군가가 하 윤기 씨와 사망자의 연관성을 꾸며내기 위해서 반지를 뒀을 가능성도 있지."

"뭐, 그랬을 수도 있는데 정황으로 한 추측일 뿐 확실한 증거가 지금은 없죠. 확실한 증거만 봤을 때는 자살 사건이라고 생각합니다."

송 형사는 확신한다.

"추측할 정황만 있고, 확실한 증거는 없다."

이 형사는 송 형사의 말을 다시 따라 말한다.

"지금 우리가 사망 원인을 명확히 하지 못하는 이유이자 자살로 종결 내서는 안 되는 이유이기도 하지. 사건 현장에서 발견한 다른 증거들도 마찬가지야. 정황만 추측할 수 있을 뿐 자살로 본다면 자살로 보이고, 타살로 보기엔 확실한 증거가 없지."

이 형사는 다리를 꼬아 앉으며 말한다. 다리를 꼬는 건 이 형사가 생각을 깊게 할 때 나오는 편한 습관이다.

2019년 7월 1일 사망자는 소나무 숲의 외진 곳에서 머리에 출혈이 심한 채 발견되었다. 발견된 다른 흉기는 없었고, 눈에 띄는 심한 외상도 뇌상 외에는 없었다. 옷은 흙과 솔잎들이 묻어 숲 바닥을 뒹굴었을 만한 흔적들이 있었다. 여교사가 발견된 곳 바로 위에 높은 절벽이 있었고, 그 절벽에서 떨어져 사망한 것으로 추정된다.

사망자가 정신과를 다닌 기록은 없었다. 의료기록에는 평소 우울증이나 다른 정신질환도 앓았다는 기록은 없다. 그 외에도 특별한 의료기록이 없는 것을 보면 전체적으로 건강한 상태였다.

이 사건의 특이한 점은 사건을 파악할 만한 기본적인 증거도 부족하다는 것이다. 소나무 숲 근처와 도로 주변에 설치된 CCTV나 수집할 수 있는 블랙박스 영상은 없었다. 섬의 열악한 환경이 여기서 다 드러나는 것이다. 섬은 사람 한 명 치여 죽어도 모를 사각지대다. 게다가 사망자의 휴대폰도 사건 현장과 관사에 없었다. 단순 자살이나 사고사라면 발견될 만한 물건인데도 말이다. 휴대폰은 개인의 사생활을 그대로 담고 있는 물건으로 사건 해결에 도움이 될 수 있었음에도 수집하지 못했다.

"송 형사, 만약 고인이 자살했다면 왜 소나무 숲에서 스스로 목숨을 끊었을까, 생각해 본 적 있어?"

"그러게요, 보통 스스로 목숨을 끊는다면 자신이 가장 친숙하고 편안한 공간에서 하기 마련이죠. 고인의 성격이 별나거나 특별한 사유가 있었던 게 아니라면 자살하기 가장 좋은 곳은 관사가 아니었을까요?

주말이면 관사에 살던 동료 교사들도 섬에서 나가고 없었을 거고, 닫힌 개인적인 공간이라 다른 사람이 월요일 전까지 확인하러 들어 올 일도 없었을 거니까요.

반면 소나무 숲은 외진 곳이라고 한들 열린 공간이죠. 여행지기도 해서 모르는 사람들에게 자기의 자살 시도하는 모습을 들킬 염려도 각오해야 하죠. 소나무 숲 위에 있는 절벽까지 걸어가서 시도했다는 건데 다른 사람의 눈에 띄어 실패할 가능성도 있었을 겁니다. 정말 고인이 자살을 위해 소나무 숲에 간 거라면 완벽한 자살을 원한 게 아니라 자신을 도와줄 누군가를 원했을 수도 있겠네요."

"그렇지, 차라리 편안하고 완벽한 자살을 원했다면 수면제를 복용하든지 관사에서 일을 벌이든지 그랬을 거야. 하지만 고인은 그러지 않았어. 완벽한 자살을 원했던 사람치고는 조금 껄끄러운 면이 있지.

그러면 이제는 방향을 바꿔 타살이라고 가정을 해 보자. 정이현 씨는 자살할 생각이 없었어. 누군가에 의해 살해당한 거야. 왜 범인은 고인을 절벽에서 밀어 죽였을까."

"음."

송 형사는 팔짱을 끼고, 유심히 생각에 잠긴다. 한 번도 고인이 살해당했을 가능성을 생각해 보지 않았다.

"어렵네요. 생각나는 대로 말하자면 일단 CCTV도 없는 외지니 증거가 남지 않으니까요? 아니면 처음에 의도하지 않았지만, 우발적으로 살인을 저질렀을 수도 있겠죠. 혹은 범인이 관사에 들어가기 어려운 학교 외부 사람이어서 학교 안에서 살인을 저지르기가 어려웠을 수도 있고, 학교 내부 사람이라서 학교 안에서 살인을 저지르면 용의선상에 오를 테니 그런 가능성을 배제하기 위함이 아니었을까요? 고인이 자살로 죽은 것처럼 위장하기도 증거인멸도 더 쉬웠을 테고요."

"그렇지. 만약 타살이라면 범인은 이 섬을 잘 아는 마을 주민이거나 용의선상을 벗어나고 싶은 학교 관계자일 가능성이 있어. 고인과 일면식이 있는 사이라는 뜻이지."

"아, 어렵네요."

송 형사가 턱을 매만지며 생각한다.

"확인할 증거는 아직 남아있어. 부검 결과와 이 일기장이 있지 않나. 우린 주변 사람들 말만 들었지, 고인의 이야기를 듣지 않았어. 원래 좋은 동료는 일도 같이 나누는 법이니까 이번 주까지 읽고 다시 얘기 나눠보자고."

이 형사가 일기장 4권 중 2권을 송 형사에게 건넨다.

행복도 여교사 사망 사건은 자살이 아닌 타살이다. 이 형사의 직감이 그렇게 말하고 있었다. 그리고 그 직감은 대부분 맞았다. 직감은 단순한 느낌이 아니라 오래된 경험과 사고가 축적되어 생긴 나름의 노하우기도 했다. 수사의 기본 방침은 추측이나 정황이 아닌 확실한 증거를 토대로 이루어져야 한다고 하지만, 이 형사는 이성과 증거에 근거하여 수사하기보다는 자신의 직관을 좀 더 믿는 편이었다.

먼저 직관을 믿고 그 방향으로 수사를 하되 사건 해결에 필요한 확실한 증거를 잡는다. 이게 이 형사가 수사할 때 가지고 있는 나름의 신념이자 철학이었다. 이상과 보이는 증거에 기대어서는 사건을 해결하기 어려운 경우가 많았다. 여교사가 누군가에 의해 살해당했다고 강하게 느낀 건 관사 안 여교사가 그린 그림을 봤을 때였다.

여자의 목을 뒤에서 힘껏 조르고 있는 남자, 그 사람이 범인이다. 고인은 누군가 혹은 어떤 것에 의해 분명 괴롭고 힘들었던 게 있었음이 분명하다.

자살일지라도 누군가나 어떤 것의 힘듦 때문이었다면 과연 그게 자살이라고 말할 수 있을까. 그 힘듦이 고인을 죽음으로 내몬 것이 아닌가. 현대사회에서 찾기 어렵지 않은 죽음이었다. 특히 악플로 우울증을 앓다가 극단적인 선택을 하는 연예인들도 마찬가지였다. 익명성에 기대어 쏟아붓는 혐오적인 말들이 사람을 죽게 만든 것이다. 하지만 거기까지는 생각하지 말자, 이 형사는 많은 생각에 빠지지 않으려고 눈을 감는다.

범인을 잡을 때만큼은 이 형사는 자신이 사냥개가 된다고 믿었다. 사냥개는 모든 감각을 동원해 사냥감을 잡는다. 사냥을 위해 훈련받은 개니까.

자신은 사냥개가 되어 광활한 갈대밭에 서 있다. 흔들리는 갈대들 사이에서 범인은 보이지 않지만, 냄새는 맡았다. 이제 자신의 할 일은 모든 능력을 동원해 범인이라는 목표물을 찾는 것이다.

이 형사는 눈에 보이지 않지만 어딘 가에는 있을 범인에게 말한다. 내가 이제 너를 잡으러 갈게. 조금만 기다려.

<정이현>

1994년 1월 15일, 부산의 한 성당 앞에 설치된 베이비 박스에서 두 신생아가 발견되었다. 두 신생아를 발견한 건 한 수녀였다. 수녀님의 말에 따르면 추운 겨울이었는데도 아기 둘은 흰 포대기에 감싸져 조용히 잠을 자고 있었다고 한다. 아기와 함께 남겨진 편지에는 '쌍둥입니다. 흰옷을 입은 아기가 언니입니다. 언젠간 꼭 찾으러 오겠습니다.'라고 적혀있었다.

두 아기를 베이비 박스에 두고 간 사람이 누구인지 알 수 없었다. 생모가 아닐까, 추측할 뿐이었다. 이 아기의 생모는 누구인지 어떤 사연으로 아기를 키우지 못하고 베이비 박스에 두고 간 건지도 알 수 없었다. 아기 둘은 고아원에 맡겨졌다.

아기 이름과 정확한 출생지와 출생일은 알 수 없었

다. 하지만 부산에서 태어난 거나 마찬가지였고, 1월 15일로 출생신고를 해도 무방했으며 이름은 새로 지으면 그만이었다.

성은 수녀와 같은 성을 따랐고, 언니에게는 '나연'이라고 이름을 지어주었다. 아름답고 고운 사람이라는 뜻이었다. 동생에게는 '이현'이라고 이름을 지어주었다. 영리하고 밝은 사람이 되라는 뜻이었다.

이현은 엄마에 대한 기억은 전혀 없었다. 생모는 언젠간 꼭 찾으러 오겠다고 했다지만, 이현을 찾으러 온 적이 없었다. 가끔 자기를 낳아준 생모가 문득 궁금했지만, 찾아보려고 한 적은 없었다. 그 사람을 어떻게 찾아야 할지도 막막할뿐더러 직접 만나는 게 두려웠다. 자신에게 진짜 엄마는 베이비 박스에서 꺼내 키워준 수녀님이었다.

이현이 그림 그리는 것에 재능이 있다는 것을 안 것은 유치원에 들어가면서부터였다. 크레파스를 사주면 닳을 때까지 썼고 그림 그릴 때면 남다른 집중력을 발휘했다. 이현의 그림을 본 유치원 원장 선생님께서 아이가 이런 섬세한 표현을 그림으로 담아낼 수 있다니, 감탄했다.

이현은 이때까지만 해도 그림을 그리는 것을 좋아하는 것은 아니었다. 하지만 친구들의 그림과 자신의 그림이 다르다는 것을 느꼈다. 그건 어디서 배운 것이 아니라 타고난 것이었다. 성인이 되기 전에 학창 시절에 미술학원을 다녀본 적은 없었다. 학원 다닐 돈은 없었다.

잘하는 일은 곧 좋아하는 일이 되었다. 좋아하는 일이 잘하는 일이 되는 것보다는 쉬운 일이었다. 미술에 재능이 있었고, 그 재능을 발판 삼아 쌓아 올리기만 하면 되었기 때문이다. 하지만 미술로 생계를 이어갈 수 없다는 것을 깨달은 것은 중학생 때였다. 잘하는 사람의 위에는 더 잘하는 사람들이 많았다. 무엇보다 그림에 필요한 미술 재료들이며 예고나 미대 진학에 드는 학비를 감당할 수 있는 경제적인 여유나 지원도 막막했다. 그리고 그런 상황을 이겨낼 능력도 이현에게는 없었다.

고아원에서 살며 받는 최소한의 지원도 성인이 되면 끊어진다는 것을 알고 있었다. 자기의 재능과 능력에 대해서는 이현은 제 3자가 보듯 냉철했다. 그걸 깨달은 중학생 때부터 이현은 학교 공부에 신경 쓰기 시작했다. 그렇게 시간이 흘러 고등학생이 되었을 때 고아원에서 함께 자란 상현이 교대에 입학했다. 그 모습을 본 이현은 자신도 교사가 되면 어떨까, 라고 생각했다. 상현은 이현에게 좋은 롤모델이었다.

그 외에도 교육대학교에 입학한 이유는 여러 가지였다. 학비도 다른 대학교에 비해 저렴했다. 졸업 후에도 교사라는 안정적인 직장을 얻을 수 있었다. 게다가 자신을 되돌아봤을 때 아이들을 가르치는 일은 나쁘지 않았다. 고아원 동생들이 물어보는 어려운 수학 문제를 쉽게 잘 가르쳐주기도 했고, 혼자 하기 곤란한 학교 숙제를 도와주기도 하면서 교사라는 직업이 자신에게 잘 맞을 수도 있을 것 같았다.

이현은 고등학교를 졸업하고, 스무 살에 교대에 입학했다. 고아원 생활을 정리하고, 학교 기숙사에 들어가 생활했다. 마땅히 갈 곳도 없고, 같이 지낼 가족도 없었던 이현에게는 큰 행운이었다. 생활비는 아르바이트와 과외를 학업과 병행하면서 벌었다. 대학 생활은 바쁘게 흘러갔지만, 그 와중에도 이현은 그림을 손에서 놓지 않고 계속 그렸다.

물감이나 캔버스를 조금씩 사서 그림을 그렸다. 고등학생 때는 엄두도 내기 힘들었던 것들이었다. 이현이 돈을 썼을 때 가장 큰 만족감을 느낀 것은 자신이 사고 싶은 미술 재료를 샀을 때였다. 어쩌면 그림을 그리기 위해 이 세상에 태어난 것인지도 모른다고 생각했다. 꼭 필요한 사람들을 만나는 것 외에는 그림을 그리는 것에 몰두했다.

그림을 그리는 장소는 다양했다. 야외 풍경을 그릴 때

면 그 풍경이 있는 장소가 곧 화방이 되었고, 단순한 모사 그림이나 인물화를 그릴 때면 카페나 기숙사에서 그렸다.

그래도 뭔가 늘 아쉬운 건 어쩔 수가 없었다. 2인실이었던 기숙사는 같아 사는 룸메이트가 있었고, 여유롭게 이젤을 세워두고 그림을 그리기에는 늘 공간이 부족했다. 그래서 기숙사를 나와 자취도 심각하게 고민을 해봤지만, 그럴 경제적인 여유는 없었다. 하지만 언젠가는 꼭 자신만의 화방을 만들겠다고 다짐했다. 그림을 그리는 것만큼 작품을 감상하는 것도 좋아했다. 가끔 미술관이자 전시회에 가서 그림을 보는 것은 새로운 영감을 주었다. 감명받은 그림이 있으면 기억했다가 따라 그려보는 것도 즐거움이었다.

대학 시절이 그렇게 흘러갔다. 4학년이 되고, 남들이 하듯 임용고시를 쳤다. 부산 지역으로 쳤지만 떨어졌다. 왜 떨어졌지. 부산이라는 지역이 맞지 않았던 걸까. 다시 임용을 준비했다. 이번에는 꼭 붙어야 한다는 마음으로 하루에 10시간씩 공부했다. 그림 그릴 시간은 없었다. 모아둔 돈은 사라지고 절박함만 늘어났다.

두 번째 임용고시를 인천으로 봤다. 한 번도 인천에 가본 적이 없었다. 하지만 인천을 선택했던 건 상현이 인천에서 기간제교사를 하고 있었기 때문이다. 그 하나로도 이현은 인천에 가기에 충분했다.

좋은 그림을 많이 그리고 싶다. 이현의 첫 번째 꿈이었다. 좋은 선생님이 돼서 아이들과 재미있는 그림 수업을 많이 하고 싶다. 이현의 두 번째 꿈이었다. 그렇게 살 수 있다면 얼마나 행복할까. 그 꿈을 이룰 자신이 있었다.

행복초등학교 교사가 되기 전까지는.

<선생님은 살아있어요>

"딩-동- 댕-동-."

종이 울린다. 1교시가 끝나고 쉬는 시간이다.

"국어 수업은 여기까지 하겠습니다. 쉴 학생은 쉬고, 화장실 다녀올 학생은 다녀오세요."

국어 교과서를 덮은 호진이 말한다. 선생님의 말씀이 떨어지기 무섭게 의자에서 엉덩이를 뗀 아이들이 부산스럽게 움직일 것 같지만 그렇지 않다. 새형이는 책상 서랍에서 곤충백과를 꺼낸다. 도서관에서 빌린 책이다. 백과 안에는 직접 관찰하지 못한 곤충 사진들이 가득하다. 사진을 볼 때마다 새형이는 곤충들의 모습이 신기하다. 도연이는 어제 그리다 만 만화를 완성한다. 연습장에 쓱싹쓱싹 연필 움직이는 손이 바빠진다. 10분의 시간은 귀하다. 다윤와 현우는 뒷문을 열고, 화장실에 간다.

"민주야, 오늘 급식 뭐야?"

몸을 돌린 서진이는 뒷자리 민주에게 묻는다.

“나도 잘 모르겠는데, 게시판 볼까?”

민주가 웃으며 말한다. 웃을 때 흰 이가 드러난다.

“그래, 좋아.”

둘은 자리에서 일어난다. 교실 바닥에 실내화 부딪히는 소리가 난다. 교실 바닥은 반짝이는 대리석이다.

급식 표는 교실 뒤에 학급 게시판에 있다. 게시판 위에는 큰 제목이 있다. ‘우리들의 꿈.’ 한 글자 한 글자 크게 적혀 있다. 게시판에는 급식 표, 안내장만 있는 게 아니다. 눈에 띄는 것은 아이들의 작품들이다. 작품에는 자신의 꿈을 그림과 함께 쓴 문장이 있다.

<우리들의 꿈>

‘나는 커서 디즈니 같은 만화가가 될 거야.’

미키 마우스 옆에서 도연이는 그림을 그리고 있다.

‘나는 우리 아빠처럼 굴삭기 기사가 될 거야.’

현우는 굴삭기를 운전하고 있다.

'나는 곤충을 연구하는 과학자가 될 거야.'
새형이는 돋보기로 사마귀를 관찰하고 있다.

'나는 사람들에게 감동을 주는 피아니스트가 될 거야.'
다윤는 관중 앞에서 피아노 연주를 하고 있다.

'나는 학생들을 사랑하는 선생님이 될 거야.'
민주는 칠판 앞에서 학생들을 가르치고 있다.

'나는 행복한 사람이 될 거야.'
서진이는 가족과 함께 활짝 웃고 있다.

3학년 1반 아이들은 꿈을 키우며 자라고 있다. 여섯 명의 아이들이 있는 교실은 20명이 있는 도시학교에 비해 허전하고, 빈 것 같지만, 그렇지 않았다. 아이들의 순수함과 활기참으로 꽉 차 있다.

"딩-동- 댕-동-."

또 종이 울린다. 쉬는 시간이 끝나고 2교시가 시작된다. 자리를 떠난 아이들은 제자리에 앉는다.

“2교시는 사회입니다. 이번 시간은 우리 고장의 모습에 대해 그려볼 거예요. 책상에 이번 수업과 관련 없는 물건들은 집어넣으세요. 선생님이 도화지 나눠줄 테니까 받은 학생은 뒤에 있는 친구에게 넘겨주세요.”

화장실에서 돌아온 현우는 국어 교과서를 서랍 안에 넣는다. 새형이는 곤충 백과를 가방 안에 집어넣는다. 호진은 8절 도화지 2장을 새형이에게 건네준다.

“현우야, 너는 뭐 그릴 거야?”

새형이는 뒷자리 현우에게 묻는다. 도화지도 한 장 넘겨준다.

“난 행복도 선착장을 그릴 거야.”

“왜?”

“가족이랑 섬에 나갈 때가 행복해.”

현우는 두 다리를 흔들며 말한다. 발은 바닥에 닿지 않는다.

호진은 학생들에게 도화지를 나눠준다. 그리고 남은 도화지를 들어 올린다.

“여러분이 생각하는 우리 고장의 모습을 하나 정해서 원하는 미술 도구로 그려보세요. 행복도도 좋고, 지금도의 모습을 그려도 좋아요. 다 그리고 난 뒤에는 친구들 앞에서 발표하는 시간도 가져보겠습니다. 시간은 40분이에요. 시작!”

호진은 어제 알림장에 원하는 미술 도구를 준비해오라고 안내했다. 아이들은 준비한 미술 도구들을 꺼낸다. 아이들은 무엇을 그릴지 고민한다.

도연이는 고민이 없다. 만화를 그릴 때처럼 연필로 쓱싹쓱싹 그리기 시작한다. 그리고 그림을 크레파스로 색칠한다. 처음엔 갈색, 초록색, 연두색을 주로 사용하다가 빨간색을 많이 쓴다. 도연이의 송충이 애벌레 같은 짙은 눈썹이 꿈틀거린다. 동그란 눈도 초롱초롱해진다. 입술은 오므려 툭 튀어나온다. 집중할 때면 나오는 버릇이다.

20분이 지나간다. 호진은 자리에서 일어난다. 학생들이 어떤 그림을 그리고 있는지 궁금하다.

그림 주제는 '우리 고장의 모습'으로 같지만, 아이들은 제각각 다른 그림을 그리고 있다. 자신의 꿈이 다 다른 것처럼. 새형이는 사인펜으로 그리고 있다. 농협 마트에서 엄마와 아이스크림을 사 먹는 그림이다. 다윤이는 색연필로 색칠 중이다. 해변에서 수영하는 그림이다.

호진은 그 그림들을 흐뭇하게 보고 지나친다. 그리고 뒷짐을 지고 서서 걷다가 걸음을 갑자기 멈춘다. 도연이의 괴상한 그림 앞에서다.

이게 뭐지. 호진은 미소가 사라진다. 그리고 한동안 도연이의 그림에서 시선을 떼지 못한다. 표정이 구겨진다. 도연이의 도화지에는 소나무들이 빽빽하다. 솔잎 푸른 소나무들 같다. 소나무 사이로 푸른 하늘이 보인다. 소나무 아래는 솔잎인지 마른풀들이 있다. 마른풀 위에는 여자가 누워있다. 긴 머리는 헝클어지고, 뻗어 누워있는 여자가. 여자는 평범하지 않다. 배 위에는 칼이 꽂혀 있고, 배에서는 피가 흘러 넘친다. 진한 피가 마른 풀숲을 물들이고 있었다.

"도연아, 지금 뭘 그리고 있는 거니?"

호진은 낮고 무거운 목소리로 묻는다. 눈빛이 매섭다. 도연이는 색칠하는 것을 멈춘다.

"행복도 소나무 숲이요."

도연이는 정수리를 긁적이며 대답한다.

"아니, 그거 말고, 이 사람은 누구니?"

호진은 그림 속 여자를 가리킨다.

"그냥요."

도연이는 얼굴을 붉힌다. 선생님의 질문이 무섭다. 아니, 선생님이 무섭다.

"그냥이란 건 없어, 도대체 뭘 생각하면서 그린 거야!"

호진은 도연이를 더 다그친다. 등도 한 대 때린다. 혐오감이 담긴 눈빛도 그대로다.

"그냥 제가 상상해서 그린 거예요."

당황한 도연이는 울먹거린다. 도연이는 수업 시간에 하라는 공부는 안 하고, 교과서에 낙서를 자주 하는 아이다. 왜 그러는지 모르겠다. 그림도 정상적이지 못하다. 보통 쓰러지거나 죽거나 피를 흘리는 캐릭터들이다. 왜 이런 그림을 그리는지 이해가 안 간다. 머릿속에는 이상한 것들만 든 것 같다. 선생님이 무슨 말을 해도 이 아이는 못 알아듣는다.

호진은 올라오는 분노를 한 번 삭힌다. 참아야지. 마음 같아서는 한 대 더 때리고 싶다. 아이들은 맞아야 정신을 차린다. 좋은 말로 이야기하면 못 알아듣는다. 아동 학대법은 아이들을 망치는 법이다. 평소였으면 이미 여러 대 때렸겠지만, 아직 2교시밖에 되지 않았다. 오늘은 한 번 참아본다.

"선생님이 이번 시간에 뭐 하라고 했었지?"

호진은 목소리를 조금 누그러뜨려 묻는다. 대답이 없다. 민주가 고개를 내민다. 도연이의 그림을 슬쩍 본다. 이제는 자리에서 일어나 그림을 보러온다. 민주를 보고 다른 아이들도 도연이의 주변으로 둥글게 모여든다.

"이거 그 선생님 같아요, 소나무 숲에서 죽은."

민주가 말하다가 만다. 호진의 등에 서늘한 소름이 빠르게 스쳐 지나간다.

"선생님, 그거 다 헛소문이에요. 정이현 선생님은 살아있어요. 제가 봤어요."

서진이가 선생님을 올려다보며 외친다.

"그러면 학교에는 왜 안 나오시는 건데?"

다윤이가 묻는다. 순수한 궁금함이다.

"그건."

서진이의 말문이 막힌다. 자기도 잘 모르겠다는 표정이다. 서진이는 바닥을 보며 시무룩해진다.

"다들 자리로 돌아가서 하던 거마저 하세요."

호진은 단호하게 말한다. 도연을 둘러쌌던 아이들은 각자 자리로 흩어진다. 호진은 도연이의 그림을 들어 올린다. 그림 속 여자를 다시 내려다본다. 보면 볼수록 기분이 더러워진다. 김도연이 이 그림만 그리지 않았으면 아이들 입에서 그 일이 다시 언급될 일도 없었을 텐데. 호진은 두 손으로 도화지를 마구 구기기 시작한다. 자신의 구겨진 표정만큼. 그래도 분에 풀리지 않는다. 구겨진 그림을 대충 펴 북북 찢는다. 교실에는 도화지 찢어지는 소리만 들린다.

교실 분위기는 무겁고 우울하게 가라앉는다. 아이들은 아무 말도 하지 않는다. 선생님을 쳐다보지도 않는다. 이런 일은 익숙하다. 도연이의 그림은 이미 조각조각 나 있다. 호진은 화가 여전히 풀리지 않는다.

"김도연, 다시 그려."

호진은 찢은 그림 조각들을 도연이 얼굴에 뿌린다. 도연은 종이조각을 정면으로 맞는다. 도연이의 눈은 빨개진다. 금방 눈물이 떨어질 것 같다.

"네."

도연이는 울먹거리며 고개를 끄덕인다. 포개어진 흰 실내화는 울음을 참으려고 힘이 들어간다.

<이상한 기간제 교사>

8월 초 더운 여름날이다. 행복초등학교 기간제 교사 면접은 5학년 1반 교실에서 실시된다. 교탁 앞에는 학생 책걸상 세 개가 띄엄띄엄 한 줄로 놓여 있다. 면접관 자리로 마련된 자리다.

교감은 면접관 중간 자리에 앉는다. 그리고 얇은 안경을 쓴다. 안경을 안 쓰면 글씨가 안 보인다. 지원자 이력서와 자기소개서를 읽는다. 미리 읽어봤지만, 또 읽는다.

하 부장은 창가 자리에 앉는다. 턱을 괴고, 멍을 때린다. 째깍째깍 벽시계 소리가 교실을 채운다. 이 기다림의 시간이 지겹다. 시곗바늘은 11시를 가리킨다.

교무부장은 복도 쪽 자리에 앉는다. 창가로 들어오는 여름 햇볕이 따갑다. 입고 있는 티셔츠에는 해바라기꽃이 활짝 펴 있다. 휴대폰을 본다. 지루할 때는 휴대폰이다. 지원자가 올 때까지 흥미 있는 기삿거리를 찾는다.

"똑, 똑."

노크 소리가 들린다. 세 사람의 시선은 교실 뒷문을 향한다. 한 남자가 들어온다. 검은 양복에 검은 선글라스를 끼고 있다. 백 팩도 검은색이다.

"안녕하세요."

남자는 가볍게 머리 숙여 인사한다. 세 사람도 자리에서 일어난다.

"네, 안녕하세요. 여기 앉으시죠."

교무부장은 맞은편 책상 쪽으로 손을 뻗으며 말한다. 면접관 책상과 멀찍이 떨어져 있다. 남자는 안내된 책상으로 천천히 걸어간다. 의자에 가방을 걸고, 앉는다.

"먼 길 오느라 고생 많으셨습니다."

교감이 말한다. 코끝에 걸쳐 쓰던 안경은 벗는다.

"오늘 다행히 날씨가 좋아 배가 떴네요. 섬인데도 불구하고, 기간제 교사에 지원해주셔서 감사합니다. 간단히 자기소개 좀 부탁드립니다."

교감은 입꼬리를 올려 미소를 짓는다.

"안녕하세요. 저는 이상현입니다."

상현은 간단한 자기소개를 한다. 정말 간단하다. 그리고 긴 양복 안쪽 주머니에서 손수건을 꺼낸다. 검은색 손수건이다. 땀으로 젖은 이마와 턱을 톡톡 두드려 닦는다. 검은색 선글라스는 여전히 벗지 않는다. 선글라스는 작은 얼굴의 절반을 덮고 있다. 선글라스가 커 보인다. 세 사람은 이 모습을 말없이 지켜본다.

"선글라스를 벗어주시면 저희가 면접 보기가 더 나을 것 같습니다."

하 부장이 말한다.

"아, 죄송합니다."

상현은 손수건을 다시 주머니 안으로 넣는다.

"제가 양쪽 눈에 눈 다래끼가 생겨서요. 눈이 퉁퉁 부었어요."

남자는 선글라스를 벗을 생각이 없다.

"다래끼가 생겼다잖아요."

교감이 하 부장을 나무라듯 말한다.

"이력서 사진으로 보세요."

교감이 이력서를 가리킨다.

하 부장은 책상 위에 있는 이력서 종이를 든다. 이력서에 작은 증명사진이 있다. 얼굴이 잘 안 보인다. 하 부장은 사진을 보려고 눈을 찌푸린다. 사진 속 상현은 가르마 있는 앞머리를 하고서는 수줍게 웃고 있다. 그을 린 피부는 지금처럼 그대로다.

"이력서 보니까 7월까지 인천의 다른 학교에서 기간제를 하셨네요. 이렇게 먼 섬까지 기간제 교사 지원을 하신 계기가 있습니까? 다른 학교에서 기간제를 구할 수도 있었을 텐데요."

교무부장이 묻는다.

"아이와 바다를 좋아해서요."

상현이 대답한다. 그리고 한 번 숨을 마신다.

"섬 생활을 즐겨보고 싶었어요. 한 번쯤은 섬에서 살고 싶은 게 제 로망이었거든요. 마침 이렇게 기회가 돼서 지원했습니다."

"그렇군요. 부산에서 대학까지 졸업도 하고, 학교 근무도 하셨는데 인천에서 근무하게 된 이유가 있습니까?"

하 부장이 묻는다.

"제 고향이 부산이지만, 한 곳에 얽매여서 사는 것보다 자유롭게 살고 싶어요. 임용고시를 봐서 공무원이 되면 안정적인 생활을 할 수 있지만, 제약도 생기는 법이니까요?"

상현이 조금 흘러내린 선글라스를 들어 올린다.

"네, 인천 생활이 선생님에게 자유로웠으면 좋겠군요. 경력도 어느 정도 있으니 말하지 않아도 아이들 생활지도나 학교 업무는 잘하시라는 생각이 듭니다. 앞서 말씀드렸듯이 5학년 담임선생님께서 개인 사정으로 계속 근무하는 게 어렵게 돼서 이렇게 선생님도 모시게 된 겁니다. 채용되시면 내년 2월까지는 5학년 업무를 맡게 되실 겁니다. 이 교실도 선생님이 사용할 교실입니다."

교감이 말한다. 상현은 그제야 고개를 돌려 교실을 둘러본다. 눈에 띌 것 없는 평범한 교실이다.

"혹시 더 궁금하거나 하시고 싶은 말씀이 있습니까?"

"만약 이 학교에서 근무하게 되면 저는 어디서 살게 되는 건가요?"

상현이 앞머리를 긁적거리며 묻는다.

"근무하시는 동안은 관사에서 사실 수 있습니다. 마침 빈 관사가 한 개 있습니다."

교감이 대답한다.

"네, 알겠습니다. 그리고 가보고 싶은 곳이 있는데..."

상현이 말끝을 흐리며 뜸을 들인다.

"네, 말씀하세요."

교무부장이 말한다.

"행복도 소나무 숲은 여기서 자가용 없이 어떻게 가야 하나요?"

"쿨럭쿨럭"

상현의 질문을 들은 하 부장이 기침한다. 갑자기 사레가 들린다.

"으흠"

교감도 따라서 헛기침으로 목을 가다듬는다.

"행복도에서 바다를 한눈에 볼 수 있는 유명한 여행지라고 해서요."

상현은 개의치 않고 말한다. 침착한 목소리에는 아무 감정도 없다.

"아, 저, 그게..."

교무부장이 옆에 앉은 두 사람 눈치를 본다. 대답하기 난감하다.

"학교 앞 정류장에서 세 시간마다 한 대 오는 버스를 타세요. 자세한 버스 시간은 정류장에 적힌 버스 회사로 전화해야 알 겁니다. 아니면 걸어가야 하고요. 걸어서 빠르면 1시간 반 정도 걸릴 겁니다."

교감이 말한다. 시선은 창밖에 가 있다.

"그렇군요. 그럼 걸어서 가보죠."

상현이 미소를 짓는다. 만족스러운 답변을 들은 듯하다.

"말씀해 주셔서 감사합니다."

상현은 고개 숙여 인사한다.

"네, 면접 결과는 오늘 내로 문자 드리겠습니다. 즐거운 여행 되시고, 조심히 돌아가시길 바랍니다."

교감이 말한다.

"네."

상현은 검은 백 팩을 다시 어깨에 멘다. 의자를 집어넣고,

교실을 나간다. 문이 닫히고, 교실은 다시 조용해진다. 5학년 1반 교실에는 상현이 오기 전처럼 세 사람이 남는다. 교감의 한숨이 교실을 채운다.

"설마 정이현 선생님 사건을 알면서 저런 질문을 한 건 아니겠죠? 이력서 보면 정이현 선생님이랑 같은 교대 출신이에요. 재학 기간도 겹치고요. 둘이 뭐 선후배 사이였을 수도 있을 것 같은데요."

교무부장은 빨간 립스틱을 바른 입술을 깨문다. 뭔가가 마음에 들지 않을 때 나오는 버릇이다.

"설마요."

하 부장은 자리에서 벌떡 일어난다.

"알았으면 제 발로 여기에 걸어 들어오지도 않았을걸요?"

"정이현 선생님과 관련이 없어도 선글라스 끼고 면접 보는 교사는 30년 교직 생활하면서 처음이에요. 벗으라고 하는데도 끝까지 안 벗는 거 봤죠?"

교무부장이 눈살을 찌푸린다.

"입고 온 복장도 검은 선글라스에 검은 양복에 검은 백팩에..."

하 부장은 손가락을 접으며 검은색이 몇 개 나왔는지 센다.

"처음 봤을 때 면접이 아니라 장례식인 줄 알았어요."

교무부장이 말을 보탠다.

"분위기도 불길함이 스멀스멀 올라오는 게 딱 까마귀야."

하 부장은 얼굴을 붉히며 혼잣말한다.

"저 정도면 사회성 떨어지는 사람 아닙니까? 교사의 자질도 의심스럽네요. 아오, 더워."

하 부장이 이력서로 부채질한다. 열을 식힌다.

"이상현 선생님 마지막 근무 학교에 연락해서 어땠냐고 물어보니 성실하고, 학생 학부모와의 관계도 괜찮았다고 합니다. 눈 다래끼 난 게 저 사람 잘못은 아니잖습니까. 이해해 줍시다."

교감은 두 사람을 설득한다.

"교감 선생님, 아무리 그래도 저 사람은 아닌 것 같은데요. 저희 기간제 모집 기간을 좀 더 늘려보는 건 어떨까요?"

교무부장이 볼펜 끝으로 책상을 톡톡 두드린다.

"우리도 찬밥 더운밥 가릴 처지가 아닙니다. 지원자가 한 명 있을 때 급한 대로 뽑을 수밖에 없어요. 정이현 선생님 사건이 교직에서 암암리 퍼지고 있어요. 오히려 교사가 죽었던 섬에 지원해주는 교사가 있다는 게 고맙네요."

교감이 말한다. 면접 보기 전보다 목소리는 더 지쳐있다. 눈가의 주름살은 더 깊어 간다.

두 사람은 교감의 말이 틀린 말이 아닌 것을 안다. 백번 양보해서 지원자가 별로라도 이 사람이라도 뽑지 않으면 답이 없다. 어쩔 수 없다.

"네, 그럼 뽑는 걸로 알고 있겠습니다."

두 사람은 대답한다.

"서류는 제가 정리해서 기안 올리죠."

교감이 종이를 한데 모아 정리한다. 기간제 교사 면접은 이렇게 끝이 난다.

한편 상현은 학교 건물을 나온다. 손목시계를 확인한다. 시간은 11시 30분을 지나고 있다. 면접은 30분 만에 끝났다. 오후 배를 타고 나가려면 4시간 정도 남았다. 점심을 먹고, 행복도 숲을 갔다 오면 시간이 딱 맞다.

학교 건물 앞 놀이터는 뜨거운 태양을 온몸으로 받고 있다. 노는 아이 한 명 없다. 여름 방학이라서 근무하는 교사도 학생도 보기 힘들다. 그 공백을 시끄러운 매미 울음소리가 채운다. 매미들은 나무에 숨어 보이지 않지만, 울음으로 자신들의 존재감을 펼친다. 이 한적한 섬에서 이현이 죽었다. 상현은 아직도 믿기지 않는다.

상현이 이현의 죽음을 알게 된 건 이현이 죽고 나서 이 주 뒤다. 이현에게 보낸 문자에 답장이 오래 없었다. 전화도 되지 않았다. 업무용 메신저에도 이현은 부재중이었다. 무슨 일이 생긴 건 아닌가. 상현은 걱정되었다. 고민하다가 행복초등학교 교무실에 전화했다. 교무실 실무사가 무미건조한 목소리로 정이현 선생님이 상을 당했으며 자세한 건 자기도 모른다며 전화를 끊었다.

그 전화를 끊고, 상현은 한동안 멍하니 있었다. 바위로 머리를 세게 한 대 맞은 것 같았다. 세상이 무너진 것 같았다. 혹시나 하는 마음에 관할 경찰서에 전화했다. 경찰은 사망 원인을 조사 중이며 유가족이 아니면 자세한 건 알려주기 힘들다고 했다.

상현은 텅 빈 놀이터 뒤편에 있는 건물들을 살핀다. 건물은 바다를 마주 보고 있다. 저 건물들이 관사일까. 예전에 이현이 관사에 있으면 바다가 한눈에 보인다고 했다. 어느 방이든 바다가 잘 보일 것 같다. 이현은 저 갈색 벽돌 관사에서 살았을까. 이현은 파도가 치는 날이면 관사도 같이 흔들린다고 했다.

상현은 관사에 한 번 들어가 보고 싶다. 어떤 곳인지 궁금하다. 하지만 자신은 어디까지나 학교 외부인이다. 학교 내부 사람들이 관사 근처에서 얼쩡거리고 있는 자신을 발견한다면 이상한 사람이 될 수도 있다. 상현은 결국 교문 쪽으로 발길을 돌린다. 기회는 다음에도 있을 것이다.

이 학교에서 이현이 얼마나 힘들었을까. 검은 선글라스 아래로 참았던 눈물이 흐른다. 상현은 손등으로 조용히 눈물을 닦는다. 그리고 견고하게 썼던 선글라스를 벗는다.

있다는 다래끼는 사실 없었다. 하지만 눈은 누구한테 맞은 것처럼 퉁퉁 부은 걸 넘어서 망가져 있었다. 검은 눈동자를 찾기 힘들 정도다. 눈물을 많이 흘리면 눈이 망가진다. 이 사실을 상현은 이현의 죽음으로 처음 알았다.

선글라스를 끼고 면접을 보는 건 예의가 아니었다. 하지만 자신의 망가진 몰 꼴을 그 사람들에게 보여주고 싶지는 않았다. 꼴도 보기 싫은 사람들이었다. 선글라스를 벗었을 때 감정을 잘 숨길 자신도 없었다. 사람의 마음은 눈빛에 담기기 마련이다. 상현은 감정을 잘 숨기는 사람이 아니다.

선글라스를 안 꼈다면 기간제 교사에 왜 지원했냐는 질문에 섬 생활을 즐기고 싶다느니 섬에 대한 로망이 있다는 말도 못 했을 것이다. 그렇게 티 안 나는 거짓말을 잘하는 사람이 아니다.

행복도에 기간제 교사로 들어와야 했나. 상현은 면접 당일인 오늘까지도 고민했다. 아침 6시에 눈을 뜨고 오전 배가 뜨는지를 확인하고, 연안부두에 가서 배를 타면서도 고민했다. 행복도는 인천이라기엔 멀고도 먼 섬이었다.

행복도에 기간제 교사로 들어와야 했나. 수십 번 고심한

결론은 항상 같았다. 기간제 교사로라도 행복도에 들어가야 한다. 이현이 왜 죽었는지 알아야 한다. 그렇지 않고는 살아도 산 게 아닐 것 같다. 자신이 더 살아갈 길이 보이지 않았다. 어떻게든 이현의 죽음을 밝혀야 했다.

상현은 행복초등학교 교문을 나선다. 다음엔 면접자가 아닌 기간제 교사로 이 학교에 오길 바랐다. 상현은 선글라스를 다시 끼고 행복도 숲으로 향한다.

<여기는 섬>

'행복 유통'은 행복도에서 가장 오래된 마트다. '행복 유통'은 선착장 근처에 있는 농협 마트보다 행복초등학교에서 훨씬 가깝다. 상현은 '행복 유통'에서 물건을 고르고 있다. 집 앞 슈퍼같이 작지만, 기본적인 물건들은 판다. 상현은 계산대 위에 살 물건을 놓는다. 컵라면과 샴푸다.

계산대에는 여주인이 있다. 머리를 묶은 머리에는 흰머리가 드문드문 보인다. 여주인은 계산은 하지 않고, 상현을 위아래로 훑어본다. 스캔 당하는 느낌이다. 상현은 편안한 파란색 운동복을 입고 있다.

"새로 오신 선생님인가 보네."

여주인이 나지막이 혼잣말처럼 말한다.

"네?"

상현은 당황스러워 되묻는다. 짧은 순간에 자신의 신분을 들켰다. 어떻게 선생님인지 알았을까.

"초등학교 선생님이세요? 아니면 중고등학교?"

상현이 당황스러운 틈을 타 여주인은 더 파고든다. 대답할 의무는 없지만 대답해야 할 것 같다.

"초등학교요."

상현이 머리를 긁으며 대답한다. 머리가 간지럽다. 며칠 동안 못 감았다.

"아, 제 딸이 5학년에 있어요. 잘 부탁드려요."

여주인이 손을 내민다. 상현은 얼떨결에 악수를 한다. 학교 앞 슈퍼 주인이 우리 반 학부모다.

"학생 이름이 어떻게 되나요?"

상현이 묻는다.

"지율이요. 송지율."

여주인은 그렇게 말하고는 물건 계산을 한다.

"선생님, 자주 오세요."

여주인은 종량제 봉투에 컵라면과 샴푸를 담아준다.

"네, 안녕히 계세요."

상현은 인사를 하고 가게를 나온다. 물건을 사러 슈퍼에 왔는데 얼떨결에 학부모 상담도 했다. 참 좁은 동네다. 학부모와의 첫 만남을 떡 진 머리에 운동복차림으로 한 건 처음이다. 슈퍼 주인은 자주 오라고 했지만, 앞으로는 급한 일이 아니면 상현은 농협마트를 가야겠다고 다짐한다.

슈퍼 앞에는 대부분 논밭이다. 개구리 울음소리가 들린다. 거름 냄새가 코로 훅 들어온다. 상현은 급하게 코를 막는다.

상현은 논밭길을 두고, 해안 쪽으로 발길을 돌린다. 논밭 사이로 뻗은 직선 길을 가로지르면 빠르게 관사에 갈 수 있지만, 오늘은 밤바다를 걷고 싶다. 상현은 작은 주택들을 지나쳐간다. 작은 전원주택들이 옹기종기 모여 있다. 드문드문 쓰러져가는 폐가도 보인다. 고요한 거리에 사람들은 없다. 상현은 시간을 확인한다. 밤 8시다.

8시가 되면 사람들은 집 밖을 나오지 않는다. 논밭, 바다, 슈퍼, 주택. 이렇게 아무것도 없는 곳에서도 사람들이 살고 있다는 게 신기할 정도다. 하지만, 학교 근처인 이 동네가 행복도 선착장 다음으로 나름 번화가에 속하는 듯했다.

밤바다다. 상현은 해안선을 따라 만들어진 인도를 걷는다. 행복도에서 유일한 인도다. 서로 맞닿아 있는 바다와 하늘도 어둠에 잠겨 있다. 해안선 위로 저녁 배들이 바다 위에 떠다닌다. 배들은 빨간 불빛을 비추며 그 자리에 머물러 있는 것 같다.

밤바다가 사라지고, 학교 운동장이 나온다. 축구 골대만 있는 운동장도 어두컴컴하다. 귀신이라도 나타날 것 같다. 운동장 너머로 검은 소나무들은 왼쪽 오른쪽 왔다 갔다 하면서 춤을 춘다. 운동장 위에 검은 그림자들의 움직임은 달빛이 만드는 그림자 연극 같다.

그림자들의 음산함에 쫓겨 상현은 더 빠른 걸음으로 걷는다. 인도가 끝나고 교문이 나온다. 교문은 타원형 고리가 겹쳐진 상아색 철문이다. 굳게 닫힌 철문은 앙상한 해골 같다. 상현은 단단한 뼈 같은 철문을 두 손으로 잡고 옆으로 민다. 교문은 드르륵하고 밀린다.

상현은 작은 테니스장을 지나친다. 빨리 집에 가서 씻고 쉬고 싶다. 이사하느라 몸은 피곤했고 후덥지근한 여름 날씨에 흘린 땀도 찝찝했다. 다행히 학교 안에는 가로등이 있다. 가로등이 비춰주는 불빛을 따라 걷다가 놀이터를 지나 꺾어 걷는다. 갈색 외부 관사와 파란색 지붕 연립관사 사이로 두 아이가 보인다. 남자아이와 여자아이이다.

상현은 걸음을 멈춘다. 행복도에서의 8시는 늦은 저녁과 다름없다. 이 밤에 두 아이는 뭘 하고 있을까. 솔밭에서 무엇을 찾고 있다. 여자아이는 손전등을 남자아이는 채집통을 손에 들고 있다. 두 아이는 상현의 인기척을 느꼈는지 뒤를 돌아본다.

손전등 불빛이 한꺼번에 상현에게 쏟아진다. 눈이 부시다. 상현은 눈을 찡그린 채 오른팔로 눈을 감싼다.

"누구세요?"

남자아이가 묻는다. 상현은 눈을 희미하게 뜬다. 두 아이가 자신을 보고 있다. 눈에는 경계심과 의아함이 담겨 있다.

"여기 새로 온 선생님이야."

상현은 무릎을 굽히며 말한다. 시선을 아이들 눈높이에 맞춘다. 여자아이가 손전등을 끈다. 아이들은 금방 경계심을 푼다.

"저희도 행복초등학교에 다녀요. 저희 엄마도 보건 선생님이에요."

까무잡잡한 남자아이가 말한다. 상현은 보건 선생님이 누군지 모른다. 출근도 아직 하지 않았다. 학생들 이름도 들은 게 없다.

남자아이는 파란 동그란 안경을 쓰고 있다. 여자아이는 짧은 단발머리다. 남자아이가 조금 더 키가 컸지만, 이목구비가 다른 듯 닮았다.

"너희 둘이 남매구나."

상현이 말한다.

"네, 저는 11살이고, 오빠는 12살이에요."

여자아이가 말한다. 묻지도 않은 나이도 말해준다. 눈썹까지 오는 앞머리는 가지런하다.

"너희들 이름이 뭔지 물어봐도 돼?"

상현이 묻는다.

"네, 저는 김성원이에요."

남자아이가 말한다.

"저는 김영원이에요."

여자아이가 말한다. 앞머리가 찰랑거린다.

"그래, 예쁜 이름이네. 그런데 이 늦은 시간까지 솔밭에서 뭐 하고 있어?"

"곤충 찾고 있었어요."

성원이가 채집통을 들어 올린다. 채집통 안에는 사슴벌레가 톱밥 위를 기어 다니고 있다.

"사슴벌레를 좋아하는구나. 나방에는 관심이 없니?"

상현은 연립관사 벽면으로 고개를 돌린다. 벽면에는 수십 마리의 나방들이 달라붙어 있다. 손가락 길이의 나방들은 죽은 것처럼 쉬고 있다.

"악, 나방은 징그러워요."

성원이가 눈을 찌푸린다.

"그런데 선생님도 연립관사에 사는 거예요?"

영원이가 웃으며 묻는다. 입가에 보조개가 생긴다.

"아니, 선생님은 저 외부 관사에 살아."

상현은 갈색 벽돌 관사를 가리킨다. 맨 끝 회색 문이 굳게 닫혀있다. 잠시 침묵이 생긴다. 상현은 크게 숨을 쉰다. 후덥지근한 밤공기다. 아이들이 말하기를 기다린다.

"그 관사에 원래 여자 선생님이 살았어요. 선생님 오시기 전에요."

영원이가 갑자기 울먹거린다. 보조개는 사라지고 없다.

"야, 김영원. 다른 사람 앞에서 정이현 선생님 이야기하지 말라고 했잖아."

성원이는 영원이를 노려본다. 꿀밤을 쥐어박을 것 같다.

"오빠도 행복도 사람들이랑 똑같아."

영원이도 지지 않고 말한다.

"선생님이 돌아가셨는데도 모른 척해. 아무도 슬퍼하지 않아. 선생님이 오빠한테 얼마나 잘해줬는데."

영원이는 눈물을 뚝뚝 흘린다.

상현은 울컥한다. 이현이 죽은 지 두 달이 되어가고 있는데 이 아이는 선생님의 죽음을 진심으로 슬퍼하고 있다. 이 아이에게 어떤 말을 해줄 수 있을까. 그냥 지나칠 수가 없다. 아이의 눈에 자신도 똑같은 행복도 사람이 되고 싶지 않다.

상현은 고개를 든다. 초저녁 하늘에 달이 보인다. 노랗게 밝은 상현달이다. 이현이 생각난다.

"선생님도 정말 좋아하는 사람을 잃어본 적이 있어. 영원이가 슬픈 이유는 여전히 영원이 마음속에 선생님이 살아 계셔서 그런 거래. 꼭 눈앞에 보여야 그 사람이 있는 건 아니야. 가끔은 달이 되어 영원이를 지켜보기도 할 거고, 바람이 되어 영원이를 지나가기도 한대. 정말 그리운 사람은 그렇대."

상현은 지신에게 위로가 됐던 말을 해준다. 이 아이에게도 위로가 되길 진심으로 바라면서.

"정말요?"

영원이는 울음을 그치고 묻는다.

"정말이지. 정이현 선생님도 영원이가 슬퍼하기보다는 학교생활도 잘하기를 바라시지 않을까?"

상현이 묻는다. 영원이는 생각에 잠긴다.

"네, 밥도 잘 먹고, 엄마 말씀도 잘 듣고 그렇게 지낼 거예요."

영원이가 눈물을 닦고 고개를 끄덕인다. 기특한 아이다.

"그래, 그러면 선생님과 약속하자."

상현은 약지를 세워 내민다. 영원이는 상현의 손가락에 약지를 건다.

"늦은 밤인데 집에 가봐야 하지 않니? 엄마가 집에서 너희들 언제 오는지 기다리실 텐데."

상현이 남매를 보며 묻는다.

"막 들어가려던 참이었어요."

성원이 말한다.

"그래, 내일 학교에서 보자, 안녕."

"안녕히 가세요."

남매는 고개를 숙여 공손하게 인사한다. 상현은 연립관사 입구로 걸어가는 두 아이의 뒷모습을 지켜본다. 어릴 적 자신과 이현의 모습과 참 많이 닮았다.

상현은 관사 문 앞에 서서 다시 상현달을 본다. 오른쪽으로 둥근 반달. 어느 여자아이가 머리를 빗다가 걸어놓은 빗처럼 예쁘다. 음력 매달 7월에서 8월경 초저녁에 남쪽 하늘에 떠서 자정에 서쪽 하늘로 지는 달. 상현달은 상현의 어릴 적 별명이었다.

'달의 변화'를 배우는 과학 시간이었다.

"어, 이상현이랑 이름이 똑같네."

어떤 친구가 상현달을 보고 말했다. 다른 몇몇 아이들이 킥킥 따라 웃었다. 그 이후로 아이들은 자신을 상현달로 많이 불렀다. 처음에는 그 별명이 싫었다. 하지만 계속 듣다 보니 익숙해지고, 우연히 하늘에서 상현달을 보게 되는 날이면 반가웠다. 자기 자신을 마주한 것처럼.

상현은 관사 문을 연다. 관사 안은 적막하다. 검은 비닐봉지는 싱크대 위에 대충 올려놓는다. 땀에 젖은 운동복을 쭈뼛쭈뼛 벗는다. 불편하지만 거실 겸 부엌 겸 세탁실인 공간이 좁아 어쩔 수 없다. 벗은 옷은 농구공처럼 세탁기 통에 던져 넣는다.

상현은 에어컨을 튼다. 8월 말인데도 여름 날씨다. 제습기는 외출 전부터 이미 틀어놓았다. 바닷가의 습한 바람과 더운 여름 열기를 이겨내려면 어쩔 수 없다.

관사는 기본적으로 습하고 꿉꿉하다. 그리고 창고 냄새가 났다. 바닷가가 바로 앞에 있어 출근길 풍경은 좋을지 몰라도 바닷바람이 품은 여름 습기는 제습기 없이 살 수 없다.

상현은 행복 유통에서 산 샴푸를 꺼내 들고 한 계단을 딛고 올라가 좁은 화장실로 들어간다. 늦은 시간인 만큼 얼른 씻고 자고 싶었다.

화장실은 성인 남자 한 명이 들어가면 꽉 찬다. 움직이기 불편하다. 샤워기에서 소나기가 쏟아 내리는 것 같다. 상현은 물세례를 온몸으로 받는다. 샴푸로 머리를 감고 헹군다. 발바닥에서 이상한 느낌이 든다.

"뿌지직."

이상한 소리가 들린다. 실내화 밑창을 본다. 공벌레가 욕실 실내화에 짓눌려 죽어있다. 이상한 소리는 살려달라는 마지막 절규였다.

타일 바닥에도 공벌레들이 문득문득 굴러다닌다. 어디로 들어왔는지 출처 모를 벌레들이다. 벌레가 관사 어디에서 기어 나온 건지 알 수 없었다. 화장실의 작은 직사각형 창문은 굳게 잠겨 있고, 그 외에 화장실과 외부로 연결된 통로는 없다. 틈틈이 구멍 뚫린 화장실 타일의 실리콘 사이로 벌레들이 들어왔을까. 그것 역시 알 수 없다. 하지만 어느 순간 보면 날 파리, 나방, 공벌레, 거미 같은 벌레들이 살아서든 죽어서

든 관사에서 발견되었다. 그들은 상현에게는 불청객이었다. 여름이 끝나가는 데도 관사 안은 다양한 벌레들의 종류와 수로 점점 더 많아졌다.

화장실 구석에 플라스틱 빗자루가 세워져 있다. 상현은 불편한 표정으로 빗자루를 든다. 빗자루로 죽은 공벌레를 털어낸다. 처음 이 관사에서 공벌레를 만났을 때는 흠칫 놀라고 당황스러웠지만, 거미도 보고, 나방도 봤다. 세상 모든 일이 그렇듯 벌레를 보는 일도 날아다니는 벌레를 잡고 시체를 처리하는 일도 무덤덤해졌다.

이런 경험을 몇 번 하고 나면 벌레가 보이지 않는 방안에서도 어디선가 벌레들이 기어 다니는 것 같다. 그러다 이상한 낌새가 들면 팔이며 목이며 벌레가 달라붙어 있는 것 같아 만져보기도 했다. 상현은 벌레를 좋아하지도 싫어하지도 않았지만, 이 관사에 이사 온 후로 벌레가 싫어졌다. 벌레와 동거 중인 게 마음에 들지 않았다. 이현이 처음 이 관사에 왔을 때 벌레가 많다고 했는데 이 정도일 줄은 몰랐다. 이 벌레가 많은 관사에서 어떻게 1년 넘게 살았을까.

이런 생각을 하며 상현은 대충 수건으로 몸을 닦는다. 파란색 줄무늬 잠옷을 입는다. 그리고 머리카락을 다 말리지 못한 채 커피포트에 생수를 붓는다. 물이 끓는 동안 컵라면 포장지와 수프를 뜯는다. 끓은 물을 컵라면에 붓는다. 몸에 밴

자연스러운 일련의 과정이다.

상현은 익어가는 컵라면을 방 안으로 가져온다. 컵라면을 책상에 올려놓고, 나무젓가락을 뚜껑 위에 올려놓는다. 라면 냄새는 온 방 안에 퍼진다. 환기를 위해 창문을 연다.

상현은 젓가락으로 면발을 휘저어 푼다. 적당히 잘 익었다. 라면 면발을 한 입 크게 입에 넣는다. 역시 컵라면은 맛있다. 허기져서 더 맛있다. 라면은 빠르게 사라진다. 국물을 마신다. 다 먹은 라면을 치운다.

창문은 방충망과 쇠창살이 있었고, 창문 너머로는 높은 천막이 있다. 천막은 운동장을 가리고 있다. 상현은 먼지 묻은 쇠창살을 보고 있자니 이 관사가 감옥 같다. 이현도 같은 생각을 했을 것이다.

아니, 어쩌면 이 행복도 섬 자체가 감옥이다. 나가고 싶어도 나갈 수 없고, 고립된 곳에서 몇 없는 사람들과 계속 부대끼며 살아야 하니까. 최소한의 시설 외에는 황량하기까지 한 마을 풍경도 그랬다.

세로로 긴 직사각형 모양인 방 안에는 붙박이장이 있다. 방 안의 가구들은 원래 있던 책상과 책장이 전부다. 이현이 쓰던 중요한 물건은 상현이 오기 전 정리된 듯했다. 그나마 남은 건 이현이 쓰던 방충망 달린 텐트다. 상현은 이 텐트를 버리지 않고 자신이 쓰기로 했다. 벌레를 피해 안전한 잠을 자려면 필요했다.

가구가 몇 개 없어도 더 들어갈 자리가 없었다. 공간이 좁았다. 나머지 자잘한 물건들은 상현이 행복도에 들어올 때 챙겨온 거다. 그 물건 중에서 단연 눈에 띄는 것은 책장에 있는 소설책들이었다.

탁상시계의 시곗바늘은 10시를 가리킨다. 아직 자기에는 이르다. 라면을 먹고, 바로 누우면 소화도 안 되고 속이 더부룩하다.

책상에 앉은 상현은 굵은 스프링 줄 노트를 꺼낸다. 그리고 후루룩 노트를 넘긴다. 내용이 적혀있지 않은 새 페이지가 나온다. 필통에서 샤프를 찾는다.

고등학생 때부터 상현은 책을 읽으면 기억해 두고 싶은 구절들을 노트에 적어두고는 했다. 요즘에는 글을 읽고 드는 생각이나 감정들도 기록했다. 가끔은 일기를 쓰기도 했고, 소설로 쓰면 좋을 것 같은 아이디어를 적어 놓기도 했다. 기록하지 않으면 놓치기 쉬웠다. 행복도에 들어오기 전 쓴 소설을 출판사 여러 곳에 투고했다. 새로운 작품 구상을 해야 할 때다.

상현의 어렸을 때 꿈은 교사가 아닌 작가였다. 교육대학교를 졸업하고 임용고시를 치지 않은 것도 그런 이유였다. 기간제 교사로 일하면서 최소한의 생계비를 벌고, 나머지 시간은 책을 읽고 글을 쓰는 데에 집중하고 있었다. 아직 신춘문예에 등단하거나 출간한 책은 없지만, 오래전부터 하고 싶었던 일을 최선을 다하고 싶었다.

상현은 검지와 중지 사이에 샤프를 끼고, 넣고 돌린다. 머리를 굴린다. 오늘 일기로 무엇을 쓸지 고민하기 시작했다. 쓸 글감은 생각하면 분명 떠오르기 마련이었다.

행복 유통에서 학부모를 만난 이야기, 성원이와 영원이를 만난 이야기를 쓴다. 샤프를 또 돌린다. 360도로 회전하던 샤프가 중심을 잃는다. 책상 아래로 굴러떨어진다. 샤프가 안 보인다. 어디 갔지. 상현은 바닥에 고개를 대고 찾는다. 책장 아래에 들어간 것 같다.

샤프를 어떻게 꺼내지. 벽에 걸린 초록색 파리채가 보인다. 파리채를 든다. 파리채는 벌레를 잡을 때뿐만 아니라 여러모로 쓸모 있다. 책장 아래에 파리채를 넣고 위아래로 쓱쓱 움직인다. 뭔가가 걸리는 느낌이 든다. 샤프라고 하기엔 묵직하다. 다른 것도 걸린 것 같다.

샤프와 함께 다른 게 나온다. 보라색 스프링 노트다. 먼지 묻은 노트의 표지에는 매직으로 이름이 있다. '정이현.'

먼지를 털고 노트를 쓱 훑어본다. 일기장이다. 이현은 좋은 날이든 싫은 날이든 일기를 매일 썼다. 상현은 일기를 읽을지 말지 망설여진다. 어쨌든 타인이 솔직하게 쓴 일기장이다. 내 일기장이 아니다. 만약 이현이 살아 있다면 일기를 보지 않았겠지만, 지금 상황에서는 조금 고민이 되었다.

오늘은 일기장을 읽지 않기로 했다. 지금 일기를 읽으면 생각이 많아질 것 같다. 밤에 많은 생각을 하는 것은 좋지 않다. 상현은 붉어진 눈시울을 삼키고, 보라색 일기장을 책장에 꽂았다.

상현은 잠자리에 들 준비를 했다. 이를 닦고, 라면 냄새가 희미해져 창문을 닫는다. 방 불을 끄고 모기장 텐트 안으로 기어들어 간다. 텐트 안은 안락하고, 안전한 느낌이다. 이 안으로까지 벌레들이 들어오지는 않을 것이다. 상현은 애벌레처럼 꼬불꼬불 이불 안으로 기어들어가 머리만 내밀고 눕는다. 7시 30분부터 10분 간격으로 8시까지 알람을 맞춘다. 내일이 첫 출근이니 늦지 않게 신경 쓰고 싶었다. 휴대폰으로 뉴스나 영상을 보지 않고 바로 잠들기로 한다. 눈을 감는다.

하지만 잠은 바로 오지 않는다. 몇 번 몸을 뒤척이다가 결국 눈을 뜬다. 어두운 천장을 바라본다. 평소에는 쉽게 잠이 들지만, 새로운 환경에 적응하느라 잠이 오지 않는 것이다. 실제로 관사는 학교 안에 있어서 그런지 몸을 긴장시키고 각성시키는 무언가가 있었다. 마치 커피를 마신 것처럼 몸의 긴장을 놓기 어렵다.

상현은 억지로 잠들려고 하기보다는 이 행복도라는 섬에 대해 생각하며 잠들려고 노력했다. 행복도. 인천에 있는 어느 먼 외딴섬. 이 섬에 직접 와보지 않으면 이런 섬이 있다는 것도 모를 섬. 고립되고 외진 곳.

분명 특이한 섬임은 분명했다. 이곳이 소설의 배경이 된다면 어떨까. 상현은 작가적인 관점으로 섬을 바라보았다. 보고 들은 모든 것은 작가의 낯선 시선을 거친다면 이야기로 쓸 수 있었다. 이 행복도를 이야기 배경으로 쓴다면 아마 행복도에 있는 사람들 이야기를 쓰고 싶다는 마음이 올라왔다. 중학생 때 원미동 사람들이라는 소설을 재미있게 읽은 적이 있었다. 짧은 단편 소설들로 이루어진 원미동에 사는 사람들 이야기였다. 행복도 사람들의 이야기를 글로 쓴다면 대충 원미동 사람들 같은 소설이 될 것이다. 소설 제목을 짓는다면 어떻게 지을까, 상현은 소설 제목을 고심하여 생각했다. 원미동 사람들 말고, 행복도, 행복도, 행복도 사람들. 행복도 사람들. 딱 알맞은 제목이다. '행복도 사람들'. 하나라도 해냈다는 생각이 마음을 편안하게 한다. 상현은 스르르 잠든다.

<환영회>

학생 여섯 명이 새로 온 선생님을 바라본다. 상현은 학생들의 똘망똘망한 눈빛을 받으며 교탁으로 향한다. 교실에는 긴장감이 돈다.

“어? 나 저 선생님 어제 봤는데.”

성원이 놀란 목소리로 말한다.

상현은 칠판에 이름을 크게 쓴다.

‘이상현’

“안녕? 선생님은 오늘부터 5학년 담임을 맡게 됐어. 선생님 이름은 이상현이야. 정이현 선생님은 사정이 생겨서 안타깝지만, 남은 기간은 선생님과 공부하게 될 거야.”

상현은 손에 묻는 흰 분필을 털어낸다. 그리고 교실 전체를 둘러본다. 학생들은 3명씩 두 줄로 앉았다. 단출하다. 얼굴이 한눈에 들어온다.

“여기 얼굴을 봤던 학생도 있고 처음 보는 학생도 있네.”

상현도 성원을 알아본다.

“오늘은 선생님과 첫 수업이고, 선생님도 소개했고, 여러분도 소개하는 시간을 가져보아요. 자, 그러면 누구부터 해볼까?”

상현은 학생들을 둘러보며 말한다.

“저요! 저요!”

아이들은 먼저 발표하려고 손을 든다. 상현은 교탁 바로 앞에 앉은 남학생을 가리킨다.

“이 학생이 제일 먼저 들었어요. 자리에서 한 번 일어나서 소개해 볼까?”

남학생은 눈웃음을 지으며 자리에서 일어난다. 강아지를 닮았다.

“네, 제 이름은 임정수입니다. 저는 ‘지금도’에서 살고 있고, 저와 가장 친한 친구는 염지석입니다.”

“아, 이름이 정수구나. 정수야, 자기소개 잘했어. 발표를 잘해준 정수에게 우리 다 같이 박수.”

반 아이들은 박수를 보낸다. 정수는 쑥스러운 눈웃음을 지으며 자리에 앉는다.

“아까 제일 친한 친구가 지석이라고 했는데 지석이가 누구니?”

상현이 반 아이들을 둘러보며 묻는다.

“저예요.”

정수 옆에 앉은 왜소한 남자아이가 손을 든다.

“아, 네가 지석이구나. 너도 자기소개해 줄래?”

상현은 지석이를 보며 묻는다.

“네.”

지석이가 자리에서 일어난다. 이 반에서 제일 키가 작다. 지석이는 바지 주머니에 손을 넣고, 다리를 몇 번 까닥거린다. 발표가 부끄럽다.

“제 이름은 염지석입니다. ‘지금도’에서 가족들과 같이 살고 있고, 저는 유성이와 노는 것을 좋아합니다. 제 꿈은 나중에 커서 중장비 운전사가 되는 것입니다.”

할 말을 다 한 지석이는 자연스럽게 자리에 앉는다.

“와, 지석이가 참 멋있는 꿈을 가지고 있구나. 나중에 꼭 중장비 운전사 되렴.”

상현은 웃으며 말한다.

“네.”

지석이는 끄덕인다.

“유성이는 누구야?”

“재예요.”

지석이는 복도 맨 앞에 앉은 남자아이를 가리킨다.

"이번에는 유성이가 자기 소개해 볼까?"

유성이가 자리에서 일어난다. 그리고 바가지 머리를 매만진다.

"어... 네... 저는, 아니, 제 이름은,, 신... 신유성입니다. 음... 어..."

유성이는 붉은 얼굴로 눈을 깜빡인다. 더 할 말이 생각나지 않는다.

"유성이가 할 말이 안 떠오르나 보네. 혹시 좋아하는 거 있니?"

상현이 유성이에게 묻는다.

"음... 저는 라면 먹는 걸 좋아해요. 한 번에 라면 네 봉지도 혼자 먹을 수 있어요."

유성이가 처음으로 해맑게 웃는다.

"진짜 엄청 많이 먹어요."

실제로 본 정수가 눈을 크게 뜨고 말한다.

"오, 먹는 걸 진짜 좋아하는구나."

상현이 끄덕인다.

"네, 그리고 저는 새로운 선생님이 와서 정말 좋아요."

유성이가 웃으며 말한다.

"선생님도 유성이와 공부하게 돼서 좋네. 우리 남은 학기 동안 잘 지내보자."

상현은 유성이에게 다가가 손을 내민다. 둘은 악수를 한다.

"자, 또 누가 자기소개해 볼까? 우리 반에 유일한 여학생 소개도 들어보고 싶은데..."

상현은 뒷줄 가운데 앉은 여학생을 보며 말한다. 지율이는 안경을 들어 올리며 자리에서 일어난다.

"네, 제 이름은 송지율입니다. 저는 음악을 듣는 것을 좋아합니다. 피아노 연주도 좋아해서 나중에 피아니스트가 되는 것이 저의 꿈입니다."

얼굴이 붉어진 지율이는 쑥스러워하며 말한다.

"그렇구나. 나중에 선생님도 지율이의 피아노 연주를 들어보고 싶어."

"선생님, 저도 자기 소개할래요."

성원이가 까맣게 탄 팔을 든다.

"그래, 해 보렴."

"네, 제 이름은 김성원입니다. 저는 어머니께서 보건 선생님이셔서 학교 관사에 살고 있습니다. 저는 사슴벌레 채집을 좋아하고 친구들과 같이 축구 하는 것도 정말 좋아합니다. "

성원이는 큰 소리로 말하고는 자리에 앉는다.

"성원이가 지금까지 제일 씩씩하게 자기소개를 잘했어. 만나서 반가워."

상현이 웃는다. 아이들이 발표하는 모습이 귀여워 저절로 미소가 나온다.

"선생님, 왜 성근이는 자기소개 안 해요?"

유성이가 성근이를 째려보며 묻는다.

"이제 할 거야. 성근아, 그렇지?"

상현은 창가 쪽에 앉은 덩치 있는 남학생을 보며 묻는다. 하지만 성근이는 좀체 일어서지 않는다.

"아, 빨리 좀 해!!"

성근이 옆에 앉은 지율이가 우렁찬 목소리로 독촉한다. 자기소개할 때의 부끄러워하던 모습은 없다.

"귀찮은데..."

그제야 성근이는 의자에서 느릿느릿하게 움직여 일어난다.

"저는 이성근입니다. 음... 저는 주유소에 옆에서 살고 있고, 저희 부모님께서 주유소 일을 하십니다. 저는 당뇨가 있어서 단 것을 잘 못 먹고, 공부하는 것을 싫어합니다."

성근이는 할 말이 더 없는지 곱슬머리를 몇 번 긁고 자리에 앉았다.

"공부는 나도 싫어해."

지석이가 크게 말한다.

"아, 부모님께서 주유소를 운영하시는구나. 선생님 관사에도 기름 넣는 보일러인데 기름 다 떨어지면 한 번 만나 뵙겠다."

상현이 이어 말한다.

"그래, 시간 관계상 자기소개는 여기까지 하기로 하고, 여러분에게 더 궁금한 건 지내면서 서로 알아가도록 해요. 혹시 선생님께 물어보고 싶은 거나 궁금한 거 있나?"

"선생님, 어디선가 사투리가 들려와요."

지석이가 말한다.

"사투리? 아, 선생님 고향이 부산이라서 억양에 조금 사투리가 있어."

상현은 이마를 긁으며 설명한다.

"다른 나라 사람들이 쓰는 말 같아요."

유성이 말한다.

"나도 경남 진해에서 살다 왔는데 경남에서 사는 사람들도 저런 말을 써."

성원이가 큰 소리로 말한다.

"선생님, 여자친구는 있으세요?"

정수가 묻는다. 몇 번 참다가 묻는 것 같다.

"여자친구? 음, 없는데..."

상현은 당황하지만, 말끝을 흐리며 솔직하게 대답한다.

"선생님은 몇 살이에요?"

지율이가 묻는다.

"나이? 몇 살로 보여?"

상현이 되묻는다.

"스물일곱? 스물여덟?"

아이들이 웅성대며 대답한다.

"선생님도 12살이야."

상현은 웃으며 말한다. 타이밍 좋게 수업 시간이 끝나는 종이 울린다.

"자, 쉬는 시간이니 쉬세요. 2교시는 수학이니 수학책 준비하도록 해요."

상현은 이렇게 수업을 마무리 짓고 교사 책상에 앉는다. 아까 학생들이 했던 질문들을 떠올린다. 여자친구는 있냐, 나이는 몇 살이냐, 이런 사적인 질문들을 학생들에게서 받아본 적이 있었나. 잘 기억이 안 난다. 기억이 나지 않는 걸 보면 이런 적은 없었다. 좁은 섬마을에 살다 보니 서로에게 관심도 많은 거겠지.

업무용 메신저에 쪽지 하나가 와 있다. 교무부장이 보낸 쪽지다.

『 선생님들께,

오늘 이상현 선생님의 환영회가 있습니다.

- 장소: 교장 선생님 관사 앞

- 시간: 오후 5시 30분

- 메뉴: 삼겹살

*2학년 선생님과 보건 선생님은 상추를 씻어야 하니 30분 일찍 307호 관사로 와주세요. 』

상현은 자신의 환영회가 오늘인 것을 처음 안다. 환영받는 사람도 몰랐다. 참 일찍 알려준다. 회식에 오는 선생님들이 다른 약속이나 일정이 있을 수도 있는데 거기까지는 미처 생각을 못 하는 건가. 상현은 학생들의 질문처럼 쪽지 내용을 곱씹는다. 어차피 여기는 도시도 아니고 섬이다. 퇴근하고, 할 일이 없는 것은 사실이다. 이현이 이 학교 회식이 일주일에 1~2번씩은 있다고 했다. 이 환영회는 그 서막에 불과할 수도 있다. 상현은 고민하다가 교무부장의 쪽지에 답장하지 않았다.

숯불화로 앞에 선 하 부장은 두툼한 삼겹살을 굽는다. 수건을 목에 걸치고, 땀을 흘리고 있다. 8월이 끝나가고, 해가 뉘엿뉘엿 져가는 초저녁인데 덥다. 매미도 목청 높여 운다.

호진이 나무 테이블 두 개를 이어 붙인다. 테이블 위에는 일회용 종이 그릇과 나무젓가락, 숟가락들이 한쪽에 모여 쌓여 있다. 고기와 같이 먹기 좋은 쌈장과 김치도 있다. 마트에서 방금 장 봐 온 것들이다.

"선생님, 같이 상 차리시죠."

호진이 상현에게 말을 건다. 두 사람은 말없이 저녁상을 차리기 시작한다. 한 사람당 필요한 수저와 소주잔을 놓고, 플라스틱 쟁반 위에는 쌈장이며 마늘이며 같이 먹을 반찬을 담는다. 그사이 교무부장과 보건교사가 관사에서 밥이며 각종 반찬을 가지고 온다.

교무부장은 압력밥솥을 열고 밥을 휘젓는다. 종이 그릇에 모락모락 연기 나는 갓 지은 밥을 퍼 담는다. 보건교사는 나물무침이며 장아찌 반찬을 그릇에 옮겨 담는다. 그리고 가위로 먹기 좋도록 자른다. 교감은 학교 뒤 텃밭에서 상추를 한껏 담아온다. 각자에게 말없이 맡겨진 자연스러운 역할이 있다.

대충 음식이 준비되자 교감이 학교 업무처리로 바쁜 교장을 교장실에서 모셔 온다. 그제야 다른 선생님들은 자갈로 된 마당에 쭈뼛쭈뼛 서 있다가 앉고 싶은 자리를 찾아 앉는다. 정중앙에 교감, 교장이 나란히 앉는다. 상현은 교감 옆자리다. 식탁 맨 끝 두 자리가 빈다.

"최 부장님은 어디 가셨어요?"

호진이 상현의 맞은편에 앉으며 묻는다.

"아, 최 부장님 사격장에서 곧 오신대. 우리 먼저 먹고 있으래. 호진아, 접시 좀."

하 부장이 수건으로 이마에 땀을 닦으며 말한다. 호진은 하 부장에게 플라스틱 접시를 건넨다. 하 부장은 그 접시 고기들을 탑처럼 쌓아 담아 건넨다. 고기는 먹음직스럽게 잘 구워졌다.

"2학년 선생님은 회식 참석이 어렵대요."

보건교사가 조심스럽게 말한다.

"왜? 아파서 쓰러지기라도 했대?"

하 부장이 고기를 굽다 말고 묻는다.

"속이 안 좋다네요."

보건교사가 눈치를 보며 말한다.

"또? 학교에서 보면 겉보기에는 멀쩡하던데 진짜 아픈 거 맞아?"

교무부장은 의심스러운 눈으로 묻는다.

"어유, 그만 해요. 강유나 선생님이 장 쪽이 안 좋대요. 섬에 산다고 병원도 자주 못 가고 몇 개월 치 약도 미리 받아서 먹는다는데 설마 거짓말이겠어요?"

교장이 안경을 들어 올리며 되묻는다.

"직원이 10명밖에 안 되는 학교에서 두 명이 빠지니 빈 자리가 크네요. 그러니 회식은 꼭 와요. 회식도 업무만큼 중요합니다."

교감은 선생님들을 둘러보며 말한다. 교감 옆에 앉은 상현은 잘못 고른 자리라고 깨닫는다.

"자, 이제 건배 준비하시죠."

교감은 상현의 소주잔에 소주를 따른다.

"아, 저 술을 잘 못 마십니다."

상현이 당황해서 말한다.

"술 마시는 걸 아직 못 배웠나 보네. 오늘 좀 마셔봐요. 첫 잔은 원샷입니다."

교감은 자기 잔도 채우며 말한다.

"자, 건배하시기 전에 제가 한 말씀 올릴게요."

교장이 말한다. 다른 선생님들도 소주잔을 들어 올리며 건배할 준비를 한다. 그 과정이 일사천리로 이루어질 때 사격장에 다녀온 최 부장이 카고바지에 먼지를 털며 나타난다.

"나 빼고 술 마시려고 했어? 그럼 섭섭하지."

교장 옆에 앉은 최 부장은 황급히 술을 따른다.

"이렇게 오늘 모인 건 본교에 새로 오신 이상현 선생님을 환영하기 위해서입니다. 먼 섬까지 아이들을 가르치려고 와주신 분이니 같이 생활하는 데 많이 도와주시고, 챙겨 주시기를 바랍니다. 제가 "선생님" 하면 "환영합니다"로 외쳐주세요. 선생님."

교장이 술잔을 앞으로 내밀며 말한다.

"환영합니다."

나머지 교사들이 외치며 술잔을 부딪친다. 소주잔이 부딪치며 소주가 흐른다. 상현은 소주를 마실지 버릴지 망설인다. 하지만 버리기엔 이미 늦었다. 다른 선생님들이 마실 틈을 타 눈에 띄지 않게 빨리 버려야 했다. 다른 선생님들은 이미 잔을 비우고 내려놓고 있다.

상현은 눈치를 보다가 두 눈을 질끈 감고 소주를 입에 털어 넣는다. 생각보다 많은 양이다. 쓴 알코올이 식도를 태우며 미끄럼틀을 타듯 넘어 내려간다.

상현은 술을 거의 마시지 않는다. 1년에 1~2번 막걸리나 맥주 한 두잔 정도 마셔도 소주는 마시지 않았다. 맛도 없고, 과학실에서 사용하는 알코올이 생각나서 마시는 게 꺼려졌다. 게다가 술을 조금이라도 마시면 얼굴이 벌겋게 변한다.

"선생님, 괜찮으세요?"

보건교사가 상현의 얼굴을 살피며 묻는다.

"네, 괜찮아요."

상현은 괜찮은 척 눈을 감았다 뜬다. 정신을 차려야 한다.

"선생님, 이것 좀 드셔봐요. 저희가 텃밭에서 직접 키운 유기농 상추인데 정말 맛있어요."

교무부장은 상추에 묻은 물기를 털고, 고기쌈을 싸 상현에게 건넨다. 상현은 억지웃음을 지으며 상추쌈을 두 손으로 받는다. 상현은 상추쌈을 입에 구겨 넣는다. 그런대로 맛있다. 상추가 들어가니 술기운이 조금 풀리는 것 같다.

"선생님, 혹시 몇 살이세요?"

맞은 편에 앉은 호진이 묻는다. 그리고 상현의 소주잔을 채운다. 상현의 붉은 얼굴은 신경 쓰지 않는다.

"스물아홉이에요."

상현도 호진의 잔을 채우며 대답한다.

"저보다 세 살 많으시네요. 친하게 지내요, 형. 전 저보다 나이 많은 사람에게는 다 형이라고 불러요."

호진은 잔을 들어 올리며 말한다.

두 사람은 술잔을 부딪친다. 상현은 입술만 적신다. 소주잔을 내려놓는다. 밥이 절반 남았을 때 끝에 앉은 하 부장이 소주잔을 들고 일어난다.

"선생님, 행복도에 오신 걸 진심으로 환영합니다. 학교 생활하는 데 어려움은 없으시죠?"

하 부장은 친근한 척하며 상현 옆에 앉는다.

"네."

긴장한 상현은 급하게 소주잔을 마셔 비우고 하 부장에 내민다.

"언제든지 힘든 거 있으면 말해요. 여기 있는 분들 다 좋은 사람들이에요."

하 부장은 상현의 잔에 소주를 또 채운다.

"제가 여기 3년 동안 살았어요. 행복도에 적응하는 나름의 노하우 좀 알려드릴까요?"

하 부장이 답정너 질문을 한다.

"네, 배우겠습니다."

상현이 정해진 답을 한다.

"첫째는 먹을 수 있을 때 많이 먹자. 여기 식당도 많이 없고, 배달도 당연히 안 돼요. 피자, 치킨, 햄버거도 못 먹죠. 그러니 있을 때 먹어요. 그리고 둘째는 아프면 안 돼요. 여기는 아파도 갈 수 있는 병원이 없어요. 의료 시설은 학교 옆 보건지소 하나예요. 보건지소에는 간단한 진료만 돼요."

"네, 알겠습니다."

상현은 하 부장 잔을 채우며 대답한다. 두 사람은 건배 후 술을 마신다.

"선생님은 고향이 어디세요?"

보건교사가 갑자기 고향을 묻는다.

"부산이에요."

상현이 말한다.

"근데 사투리를 안 쓰시네. 한 번 부산 사투리 써봐요. 정겹던데."

상현에게서 멀리 앉은 최 부장이 말한다.

"억양에 좀 있는 것 같은데..."

보건교사가 가물가물한다.

"최 부장님, 사격은 언제 가르쳐주세요?"

교무부장이 최 부장에게 묻는다.

"아, 다음 주에 퇴근하고 사격장 한 번 오시죠. 가르쳐드릴게요."

최 부장이 유쾌하게 말한다.

"나도 사격 배워서 노루 한 마리 잡고 싶다."

교무부장이 들뜬 마음으로 말한다.

"섬사람들이 허락 없이 사냥하는 거 안 좋아해요. 게다가 산에 멧돼지도 종종 출몰한다고요."

교감이 팔을 휘저으며 말한다. 옆에 꼬인 파리들이 달아난다.

"아, 맞다. 정이현 선생님도 고향이 부산이라고 하지 않았어요?"

보건교사가 긴 머리를 넘기며 묻는다. 환영회 분위기가 무겁게 가라앉는다. 소음은 청소기가 먼지를 흡입한 것처럼 빠르게 사라진다. 정적이 흐른다.

"하 부장님, 결혼반지는 찾으셨어요?"

호진이 화제를 바꾸려 하 부장에게 묻는다.

"아, 반지. 그거 진짜 너 말대로 경찰이 갖고 있지 뭐야. 정이현 손가락에서 발견됐대. 사건 조사가 끝날 때까지 증거품이라 못 돌려받을 수도 있다는 데 기가 차서 말이 안 나오더라."

하 부장이 말한다. 그리고 더 말할 필요도 없다는 듯이 손을 몇 번 휘젓고는 자기 자리로 돌아가 앉는다.

"내 이럴 줄 알았어. 도. 둑. 년."

교무부장이 언성을 높인다.

"처음 볼 때부터 싹수가 노래 보인다고 내가 말했지? 훔칠 게 없어서 동료 교사 결혼반지를 훔쳐?"

교무부장은 완전히 다른 사람이 되어 있다. 상현에게 상추쌈을 싸줄 때 사람 좋은 웃음은 사라지고 없다. 상현은 올라오는 분노를 주먹을 꽉 쥐는 것으로 한 번 참는다.

"그래도 반지 찾은 게 어디야. 아내한테 설명할 사정이라도 생기는 거지. 경찰도 반지를 못 찾았으면 하 부장은 이미 반죽음이었어."

최 부장이 놀리듯이 말한다. 그리고 손으로 목을 긋는 시늉을 한다.

"흠, 경찰 조사는 다 받으신 거죠? 얼른 사건 종결이 나야 할 텐데 시간이 걸리니 학교도 힘들고, 참."

교장이 삼겹살을 씹으며 말한다.

"네, 선생님들 참고인 조사는 다 마쳤습니다."

교감이 말한다.

"경찰 조사와 별개로 섬에서 이상한 소문이 돌고 있어요."

최 부장이 눈을 가늘게 뜬다.

"무슨 소문이요?"

교감이 목소리를 낮추며 묻는다.

"강 사장이 그러던데 정이현이 아직 죽지 않고 살아 있다나."

최 부장이 짧은 흰머리를 긁적인다.

"으, 소름 돋아. 이 시간에 무슨 그런 오싹한 얘기를."

교무부장이 두 팔을 감싸 쥐고 질색한다.

하 부장은 이상한 소문이 신빙성 있는 이야기임을 직감적으로 느낀다. 경찰이 반지를 갖고 있다는 이야기를 듣기 전에 행복도 숲에 갔었다. 야밤에 차를 타고, 결혼반지를 찾으러. 그 숲에서 정이현이 자신을 지켜보고 있는 것 같았다. 저승을 떠나지 못하는 정이현을 다른 마을 사람들도 본 게 분명하다.

"형, 무섭게 우리 그런 얘기는 서로 하지 말자. 나 정이현이 살던 관사 앞에 지나치는 것도 무서워서 뛰어가."

하 부장이 짜증 낸다.

"하여튼 부모 없는 것들은 이래서 안 된다니까. 근본이 없잖아."

교무부장이 입꼬리를 씁쓸하게 올린다.

"부장님, 말이 심하세요. 이현샘이 얼마나 착한 분이었는데…"

보건교사가 말한다.

"착하긴 뭐가 착해. 죽어서까지 다른 사람에게 피해 끼치는데. 섬마을 주민들도 그런 소문 들으면 얼마나 무섭겠어. 우리도 걔 때문에 경찰 조사까지 받았잖아."

교무부장이 보건교사를 쏘아붙인다.

"그러고 보니 이 선생님 관사는 살만해요? 지금 살고 계시는 관사가 전에 정이현 선생님께서 살던 관사예요."

교장이 안경을 들어 올리며 묻는다.

"안 그래도 말씀드리려고 했는데."

상현이 입을 연다.

"그 정도면 감사히 살아야지. 공짜 집 주는 게 어디야."

최 부장이 상현의 말을 가로막는다.

"아니, 못 살겠습니다. 그래서 나가려고요. 여름이라 벌레도 많고 습하고 사람 사는 곳이 아닙니다. 이번 주까지 한번 집 알아보고 짐 빼서 나가겠습니다."

상현은 그렇게 말하고는 자리에서 일어난다. 더 참을 것도 없었다. 자리에 앉아있을 이유도 없었다.

"아니, 이 선생님! 그건 좀 더 생각해 보세요."

당황한 교장이 팔을 뻗어 말린다.

"그럼 전 이만 가보겠습니다."

상현은 가볍게 고개를 숙여 인사하고, 뒤를 돌아 관사로 간다. 그 뒷모습을 다른 교사들이 멀뚱히 바라본다.

"저런 싸가지없는..."

누군가가 중얼거린다. 등 뒤로 얼핏 들려오는 그 말을 상현은 신경 쓰지 않는다.

<건물주>

환영회 다음 날, 상현은 방과 후에 교장실로 불려 간다. 교장실에 가는 건 첫 출근 이후 두 번째다.

"관사를 나간다는 계획을 학교장 상의도 없이 갑자기 하면 어떡합니까? 그것도 환영회 자리에서."

교장은 앞뒤 다 자르고 묻는다. 첫 출근 때 맞이하던 인자한 미소는 사라지고 없다.

"시간이 없었습니다."

상현이 나지막이 대답한다. 시간이 없었던 건 사실이다. 교장은 녹차를 한 모금 마시고, 입에 머금고 있다가 넘긴다.

"어제 동료 선생님들이 한 말 중 무례한 게 있었다면 선생님께서 이해해 주세요."

교장이 조금 누그러진 목소리로 말한다. 상현은 아무 말도 하지 않는다.

"학교 밖에 나가려는 마음은 알겠습니다. 이 선생님, 하지만 학교 밖은 관사만 못하다는 게 제 생각입니다. 첫째는 학교 밖에서는 선생님의 안전을 보장하지 못해요. 시설이 아무리 관사보다 깨끗하고 신축이라고 한들 해만 지면 어두컴컴해지는 섬은 생각보다 위험한 동네입니다. 어떤 일이 생겼을 때 관사는 도움을 요청할 동료 선생님들이 있지만, 학교 밖에서는 아무도 없어요. 저 또한 선생님의 안전에 대해 책임질 수 없습니다. 두 번째는 선생님 말 한마디와 행동 하나가 학교의 이미지를 만들 수도 있다는 겁니다."

교장은 '말'과 '행동'이라는 단어에 힘을 준다.

"섬은 선생님이 생각하는 것보다 훨씬 좁은 마을입니다. 하루면 누가 무엇을 했다는 소문이 섬 전체를 빠르게 돌아요. 학교 밖에 살면 동네 사람들 눈에도 더 자주 띌 거고, 일거수일투족이 뭘 하는지 관심사가 될 겁니다. 제가 하는 말은 과장이 아닙니다. 나가서 살아보면 피부로 느낄 일입니다."

교장은 녹차를 한 모금 하며 목을 축인다. 그리고 찻잔을 다시 내려놓는다.

"네, 그렇다고 해도 상관없습니다."

상현은 마음의 준비가 된 사람처럼 말한다.

교장은 눈을 감고 생각에 빠진다. 감은 눈은 생각이 많아 보인다. 어쩌면 예상하는 일에 따르는 책임감을 감당하기 위해서인지도 모른다. 책임감은 머리 위에 얹어진 돌같이 무겁고, 내려놓고 싶은 것이다. 교장은 손가락을 팔걸이 위에서 톡톡 두드리며 소리를 만든다. 생각이 많아 보이는 손이다. 상현은 두 손을 깍지 끼고 기다린다. 교장이 어떤 말이라도 하기를. 하지만 어떤 말을 한다 해도 상현의 결정은 변하지 않을 것이다.

"좋습니다. 그렇게 하세요. 선생님이 원하시는 대로."

교장이 눈을 뜨고 처음 한 말이다.

상현은 손깍지를 푼다.

"네, 알겠습니다."

상현은 많은 말을 하지 않고, 자리에서 일어나 목례한다. 산 하나를 넘었다. 어디에 살든 그건 본인의 자유지만, 여기는 섬이다. 학교장이 관사 밖을 나가 사는 것을 끝까지 반대했다면 일은 어려워졌을 게 분명하다. 꽉 막힌 사람은 아니구나, 상현은 교장실을 나오며 생각한다.

그리고 교실로 돌아가는 복도를 걸으며 시간을 확인한다. 3시 30분. 퇴근까지 1시간 정도 남았다. 공문 처리와 내일 수업 준비를 해야 한다. 건너편에서 하 부장이 코너를 돌아 걸어오고 있다. 눈이 마주친다. 하 부장은 흠칫 놀라며 상현의 눈을 피한다. 보지 못할 사람이라도 본 것 같다. 그리고 뒷걸음질 치다 그대로 코너를 돌기 전 문밖으로 걸어 나간다.

뭐지, 이건. 상현은 가던 걸음을 멈추고, 눈썹을 찌푸린다. 하 부장이 빠르게 사라진 문은 활짝 열려 있다. 어제가 처음이자 마지막 환영이었나보다.

하지만 상현은 개의치 않고, 교실로 걸어간다. 사람은 대부분 처음에 누군가에게 좋은 사람으로 보이고 싶어 한다. 그 사람의 진짜 모습은 무심코 던진 말에 드러나기 마련이다. 눈이 마주쳐도 뒤돌아 나가는 저 사람의 행동이 본성이다. 어제 이현에 대해 던진 말들이 그 사람들의 본성이다. 이 좁은 학교에서 그런 사람들을 피하고 싶어도 피하지 못하는 게 슬플 뿐이다.

행복 주유소 옆에는 갈색 오피스텔 건물이 하나 있다. 4층 건물은 한 달 전만 해도 공사로 정신없던 신축이다. 그 건물 1층에는 상가 및 원룸 임대라는 큰 현수막이 걸려있고, 두 사람이 그 건물을 지켜보고 있다. 한 명은 젊은 여자고, 다른 한 명은 중년의 남자다. 여자는 이 더운 날에도 플로피 햇을 쓰고, 진한 실크 보라색 원피스를 입고 있다. 차양 넓은 모자는 내리쬐는 햇빛과 진하게 화장한 여자의 얼굴을 동시에 가려준다. 지나가는 사람이라면 얼굴을 자세히 보려고 노력하지 않는 한 빨간 립스틱을 바른 입술 밖에 보이지 않는다. 중년의 남자는 양복을 입고, 여자보다 키가 작아 보인다. 하지만 남자가 키가 작은 게 아니라 젊은 여자가 하이힐을 신어서 상대적으로 작아 보일 뿐이다. 실크 원피스와 양복은 행복도에서 보기 드문 패션이다. 누가 봐도 두 사람은 섬 주민은 아니다.

"이제 공사도 끝났고, 계약했던 임차인들만 들이면 되겠네요."

젊은 여자는 건물을 보며 행복한 입꼬리를 올린다. 젊은 여자는 김나연이다.

신축 건물 건너편 위에서 상현이 걸어 내려오고 있다. 상현은 그 두 사람을 모르고, 두 사람 역시 상현이 누군지 알아보지 못한다. 상현이 언덕을 내려가 향한 곳은 '행복 공인중개사 사무소'다. 상현이 사무소에 들어가자마자 중개인이 인사하며 맞이한다. 40대 남자로 머리가 약간 벗겨 있다. 생긴 지 얼마 안 된 사무소인데 한 10년 이상 운영해온 느낌이 든다.

"무슨 일로 오셨나요?"

공인중개사가 묻는다.

“아, 저 반년 정도 살 자취방을 알아보고 있는데요.”

상현이 머뭇거리며 말한다.

“잘 오셨어요, 일단 앉고, 커피 한 잔 드릴까요?”

중개인이 의자를 빼주며 묻는다.

“아니요, 물 한 잔만 주세요.”

상현은 이마의 땀을 훔치며 말한다. 에어컨 바람을 쐬니 더위가 가시는 것 같다. 밖은 그늘 하나 없는 뙤약볕이다. 선크림이라도 바르고 오길 잘했다고 상현은 생각한다. 흰 피부가 아니지만, 피부가 타는 건 싫다. 중개인은 물이 담긴 종이컵을 상현에게 건넨다.

“원룸 형태도 괜찮으시고요?”

중개인은 책꽂이에서 무슨 종이를 뒤적뒤적 넘기며 묻는다.

“네.”

“월세든 전세든 상관없어요?”

“아니요, 월세였으면 좋겠고, 40까지는 낼 생각이 있습니다.”

전세로 살기에는 모아둔 돈이 없다. 중개인은 상현의 말을 종이에 펜으로 받아 적는다.

“월세에 40이고, 자취방 위치는요?”

중개인은 힐끗 상현을 쳐다보며 묻는다. 약간 경계하는

눈빛이 느껴진다.

“학교에서 적당히 먼 곳이었으면 좋겠습니다.”

상현이 솔직하게 말한다.

“아, 학교 선생님이시구만.”

중개인은 고개를 끄덕인다. 이제 처음 보는 이방인이 누군지 파악했다. 아까 보였던 경계심도 좀 풀린다.

“학교에서 근무하시는 분이면 관사 주지 않나요?”

“네, 주죠.”

“굳이 돈 낭비하면서 학교 밖에 살 이유가 있어요?”

이 중개인도 어쩔 수 없는 섬사람이다. 남의 사정에 참 관심이 많다.

“사정이 있어서요.”

상현은 말을 아끼기로 한다.

“음, 일단 괜찮은 곳이 몇 개 있긴 한데 한번 같이 직접 보러 가시죠.”

공인중개사가 소개한 건물은 성근이네 부모님이 하시는 행복 주유소 옆 오피스텔 건물이었다. 신축에 한 두 방은 이미 예약이 된 상황이지만, 방을 고를 수 있을 정도로 비어있는 방이 꽤 있었다.

상현은 202호 방을 계약했다. 공인중개사에게 듣기로는 1층이 땅에서 올라오는 바다 습기를 막아주고, 4층이 겨울에 들어오는 한기를 막아주기 때문에 2, 3층이 가장 좋은 층이라고 했다.

상현은 집주인을 직접 보지 못했다. 공인중개사 말로는 이 오피스텔 건물주가 섬사람이 아니라고 했다. 집주인이 계약이 있을 때마다 섬에 오기가 어렵다며 대리인 위임장을 보여주었다.

상현은 부동산에 대해 잘 모르지만, 자취하면서 계약한 경험이 도움이 되었다. 또 주워들은 지식과 인터넷에서 검색한 지식으로 계약이 잘 마무리되었다.

상현이 계약한 건물주인 나연은 동행자인 중년의 남자와 '행복 자갈 마당'에 온다. '행복 자갈 마당'은 행복도에서 모래가 아닌 자갈이 깔린 해변으로 유명하다. 해변 끝에는 파도가 만들어낸 해식 절벽이 펼쳐져 있다. 일몰이 멋있는 여행지지만, 일몰을 보기에는 시간이 이르고, 햇빛은 강렬하다.

"탕수육이 진짜 맛있었어요."

나연은 테이크아웃 커피를 쥐고 말한다. 신발은 운동화다. 신고 있던 하이힐은 트렁크에 두었다.

"새벽에 입도하느라 아침을 못 먹어서 더 그랬을 겁니다."

중년의 남자가 말한다.

"지배인님, 그래도 다음에는 다른 맛집도 가봐요."

나연은 뒤돌아서서 중년의 남자를 바라보며 웃는다.

"네, 알겠습니다."

지배인이 대답한다. 중년의 남자는 나연의 부모님이 운영하는 호텔의 지배인이다.

나연은 고요한 바다를 바라보고 있다. 바다는 끊임없이 잔잔한 파도를 만든다. 모양도 색깔도 다른 자갈들이 바닷물을 받아들였다 보내며 맑은 소리를 낸다. 나연은 그 소리에 귀 기울인다. 자신의 마음도 같이 맑아진다. 바다의 잔잔함은 몰아친 파도가 해식 절벽을 만든 사실이 믿기지 않을 정도다.

"곧 차도선으로 나가기 전에 시간이 비는 데 이런 여행지도 올 수 있고 좋네요. 여기 이름이 뭐였더라... 무슨 마당이었는데..."

"행복 자갈 마당입니다."

"아, 맞아, 맞아. 행복 자갈 마당."

나연은 고개를 끄덕이며 말한다.

"하지만 다시 와도 구질구질하네요. 행복도는."

나연은 햇볕 때문인지 처음으로 찡그리며 말한다.

“그런데도 오피스텔 건물은 왜 매매하신 겁니까? 게다가 그 건물을 매매한 것도 저를 이 행복도에 동행시킨 것도 대표님께서 모르시지 않습니까. 나중에 알면 좋아하시지 않을 겁니다.”

“그러니 이건 끝까지 비밀이어야 해요.”

나연은 검지를 입술에 가져다 댄다.

“혹시 죽은 동생 때문입니까?”

지배인이 묻는다.

“그래서 알아보라는 건 알아보셨어요?”

나연은 질문에 답하지 않고, 지배인을 보며 묻는다.

“네, 현장에서 유서도 나와 자살이라는 말이 있지만, 다른 가능성도 두고 경찰에서 조사 중이라고 합니다. 학교 교사들도 참고인으로 조사 대상이고요. 학교에서는 정이현 씨 대신에 새로 기간제 교사를 구한 듯한데 남자 교사가 왔다고 합니다.”

“기간제 교사요? 이 섬에요?”

나연이 의외라는 듯이 되묻는다.

“네, 혹시 관련이 있을까 싶어 제가 좀 더 조사해 보니 그 기간제 교사가 정이현 씨와 같은 고아원에서 자랐고, 대학교도 같은 학교를 졸업했다고 합니다. 친분도 있던 것 같습니다.”

"그 기간제 교사 이름이 혹시..."

나연은 말끝을 흐린다.

"이상현이라고 합니다."

나연은 입술을 깨물고 생각에 빠진다. 한없이 넓게 펼쳐진 바다는 멍을 때리기에도 좋은 풍경이다.

"지금이라도 늦지 않았습니다. 오피스텔 건물을 되팔고, 행복도에 안 오시는 게 어떤가요. 쌍둥이라 얼굴도 똑같은데 여기 오가다가 역으로 위험에 빠질 수도 있습니다. 동생 사건은 해결될 일이라면 어떻게든 해결될 겁니다."

"저와 동행하는 게 싫으시면 앞으로는 혼자 행복도에 올게요."

나연은 단호하게 말한다. 그리고 쓰고 있던 플로피 햇을 벗어 손에 쥔다. 완전히 다른 사람처럼 느껴진다. 작은 얼굴에 진한 화장은 예뻐 보이지만, 수수함이 더 어울리는 얼굴이다.

"행복도 사람들은 뭐라고 생각하고 있던가요?"

나연은 얼굴을 더 찌푸린다. 이제는 자신의 표정이 어떻든 신경 쓰지 않는다. 중요한 건 표정이 아니다.

"그 사람들은 사건의 진위 따위에는 관심 없고, 남의 이야기면 떠들기 좋아하는 사람들이죠. 최근 섬에 이상한 소문이 돈다고 합니다."

"무슨 소문이요?"

"죽은 여교사가 죽지 않고 살아있다, 억울해서 이승을 떠나지 못하고 이 섬을 떠돌고 있다."

"소름 돋지만, 나쁘지 않은 이야기네요."

나연은 피식, 웃으며 따뜻한 카페라떼를 한 모금 마신다.

"커피는 그만 마시고, 약 드시는 게 좋습니다. 시간도 되었고요."

"한 잔쯤은 심장에도 좋아요."

나연은 카페라떼를 한 모금 더 마신다.

"바다가 참 고요하고, 잔잔하네요. 예전에 사람들이 왜 바다를 좋아할까, 생각해 본 적이 있어요. 왜 소중한 시간을 내서 이런 먼 곳까지 바다를 보러 올까, 하고 말이에요. 처음에는 의문만 있었는데 오늘 바다를 보니까 알 것 같네요."

나연은 이렇게 말하고는 한숨을 내쉰다.

"인간들은 작은 일로도 서로 다투고 시기하고 미워하는데 바다는 그렇지 않으니까. 수평선 너머로도 끝없이 펼쳐져 있는 바다가 이렇게 평화롭잖아요. 여느 인생사와 다르게."

나연이 오늘 처음으로 가장 길게 한 말이었다.

<보라색 일기장>

상현이 오피스텔 방을 계약하고 이 주가 흐른다. 입주 날이 다가온다. 상현은 퇴근하고 바로 관사로 돌아와 이삿짐을 싸기 시작한다. 인천 육지에 있던 자취방에서 가지고 온 옷 몇 벌을 개어 다시 택배 상자에 담는다. 샴푸와 같은 욕실용품도 비닐에 넣어 상자에 담는다. 이제 벌레와의 동거도 이별이다. 플라스틱 그릇과 컵 몇 개를 상자에 넣는다. 책꽂이에 꽂은 지 얼마 되지 않은 소설책들도 상자에 넣는다. 어디에서 나오는지 모를 쓰레기들을 버리고, 방구석에 소복이 쌓인 먼지들을 닦기를 반복하다가 이삿짐이라고 말하기도 민망할 정도의 짐을 정리하고 나니 이미 날은 저물어 있다.

오늘은 여기까지만 하자, 상현은 마지막 상자 입구를 테이프로 막는다. 짐을 옮기기에는 날이 어두웠다. 내일 짐을 옮겨도 주말이니 금방 끝낼 수 있을 것 같다. 내일 마지막으로 정리해야 할 짐은 냉장고에 몇 안 되는 음식과 오늘 덮는 이불 정도다.

관사는 대충 정리가 되었지만, 마음에는 무거운 일기장이 남아있었다. 상현은 아직 이현의 일기장을 읽지 못했다. 몰아닥치는 수업과 학교 업무로 정신이 없었고, 학교에 적응하는 시간으로 시간은 빠르게 흘러갔다. 또 일기장을 바로 읽기에는 마음에 걸리는 몇 가지가 있었다.

상현은 옷장을 열어 깊숙이 넣어둔 보라색 스프링 노트를 꺼내 든다. 그리고 두 개씩 쌓아 둔 상자들 사이를 비집고 앉는다. 왠지 이 일기장은 상자들 사이에 숨어 남들에게 들키지 않고 조용히 읽어야만 할 것 같다. 다른 소설책을 읽을 때처럼 책상에 앉아서 떳떳하게 못 읽겠다. 휴대폰으로 인터넷 기사를 읽는 것처럼 이불에 누워 편안하게 읽지도 못한다.

내가 이걸 읽어도 될까. 상현은 보라색 스프링 노트를 마주하기까지 나름의 결심이 필요했다. 누군가는 다른 사람의 휴대폰을 몰래 훔쳐보는 것을 좋아할지도 모르겠다. 아니면 남이 쓴 일기장을 몰래 읽는 것을 즐길지도. 하지만 상현은 누군가의 비밀을 몰래 엿보는 것을 안 좋아하는 사람이다. 알고 싶지도 않다. 남몰래 알게 된 사실들은 알아서 좋을 게 없다.

이 일기장을 읽는 것은 상현에게 판도라의 상자를 열어 보는 것처럼 두려운 일이다. 모르고 있었던 이현의 안 좋은 모습을 알게 될지도 모르며 자기 욕이 실컷 적혀있을 수도 있다. 그래도 상현은 이 일기장을 열어보고 싶었다. 일기장을 읽었을 때 세상을 뒤덮을 온갖 악마가 나온다고 해도 이현이 왜 행복도 숲에서 죽을 수밖에 없었는지 알 수 있을지도 모른다. 누군가에게는 하지 못했던 속 얘기나 속앓이를 이 일기장은 생생하게 들어줬을지 모른다.

상현이 아는 이현은 겉과 속이 다른 사람은 아니다. 자기처럼 솔직하고, 숨기는 걸 잘 못 했다. 이 일기장이 상현이 몰랐던 이현의 깊은 내면을 말해줄 수도 있다. 일기장의 주인은 세상에 없고, 일기만 남았다. 몰래 읽는다고 해도 뭐라 할 사람은 없다.

상현은 준비 운동처럼 숨을 크게 들이쉰다. 그리고 활짝 펼치지 못한 일기장을 숨죽여 읽기 시작한다.

2019년 4월 1일 월요일 오후 5시

구름이 많은 월요일이다. 퇴근하고 나서 새 일기장에 쓰는 첫 일기다.

이 일기장에는 좋은 일만 적을 수 있었으면 좋겠다.

2019년 4월 2일 화요일 오후 4시

피곤한 화요일이다. 어제 잠을 못 자고 뒤척였다. 오늘 수업을 마치고 나서 교무실에서 회의가 있었다. 회의가 끝나고 김호진 선생님이 내 교실을 찾아왔다. 혹시 도움이 필요한 일이 없냐고 물었다. 자기가 아는 건 많지 않지만, 힘쓰는 건 잘할 수 있다고 했다.

도움이 필요한 일이 바로 생각나지 않았지만, 그 말만으로도 나에게 큰 힘이 되었다. 이 학교에 근무하면서 누군가가 내 교실에 찾아와서 나를 도와주겠다고 말한 사람은 없었다. 처음으로 이 사람이 내 동료인 것 같다는 생각이 들었다.

2019년 4월 3일 수요일

5교시여서 기쁜 수요일이다. 오늘 날씨가 맑아서 체육 수업을 하기가 좋았다. 아이들이 피구를 즐거워했다. 오늘 지석이가 나에게 부산은 언제 내려가냐고 물었다. 행복도에서 부산은 너무 멀어서 방학 때 갈 것 같다고 했다. 지석이가 자기도 부산을 가보고 싶다고 했다. 자기는 12년 살면서 부산을 가본 적이 없다고 했다. 그러면서 '지금도' 섬 옆에 부산이 있었으면 좋겠다고 말했다. 그 말에 잠깐 지금도 옆에 부산이 있다고 상상해 보았다. 피식, 웃음이 나왔다.

지석이 말대로 지금도 옆에 부산이 있다면 부산은 부산이 아니었을 것 같지만 내가 먼 길 가는 고생을 하지 않기를 바란 것 같다. 아니면 정말 부산에 가고 싶어서 그랬을까. 둘 다인 것 같다. 그런 말을 한 지석이가 너무 귀엽다.

2019년 4월 4일 목요일 오후 11시

바람이 많이 부는 목요일이다. 퇴근하고 우유를 사러 마트에 갔다. 우유가 없었다. 물어보니 오늘 배가 뜨지 않아서 물건이 들어오지 않았다고 한다. 바람이 많이 불면 배가 뜨지 않는다. 관사에서 일기를 쓰는 지금도 파도치는 소리가 들린다. 관사 문을 열면 바로 바다라서 그렇다.

마트에 가는 길에 통학버스를 타고 하교하는 아이들을 보고 인사를 하고, 학부모님 한 명을 만났다. 퇴근하고, 교문 밖을 나서면 학생과 학부모님을 계속 마주친다. 또 다른 출근을 하는 것 같다. 그래서 학교 밖을 나가지 않게 된다. 저녁을 먹고, 대부분 시간을 관사에서 보냈다.

관사에서 뭐 할까, 고민하다가 오랜만에 그림을 그렸다. 그림을 그리면 느릿느릿 지나가는 시간이 빨리 간다. 쇼핑도 했다. 도서 지역 배송비가 가장 적은 사이트에서 스케치북, 캔버스, 유화 물감도 하나 주문했다.

2019년 4월 5일 금요일 오후 4시

배가 뜬 금요일이다. 학교에서 마주친 선생님들의 표정이 행복도를 떠날 수 있어서 기뻐 보였다. 나는 교무실에 혼자 남아 일기를 쓰고 있다. 이번 주 금요 대기조는 나다. 누군가는 학교를 떠나도 누군가는 학교를 지켜야 한다. 누군가는 4시 30분까지 교무실에 걸려 오는 전화를 받고, 학교를 찾아오는 사람을 맞이해야 한다. 아무도 없는 교무실은 평소와 달리 평화롭고 조용하다. 혼자 남겨진 교무실이 다른 선생님과 함께 있는 것보다 더 좋다.

2019년 4월 6일 토요일 오후 8시

오랜만에 늦잠을 잔 토요일이었다. 알람을 안 맞추고, 언제 일어날지 걱정도 안 하고 잘 수 있는 주말이 좋다. 일어나서 아침 겸 점심을 먹고, 행복도 소나무 숲까지 걸어갔다. 걷기에 맑은 날씨였다. 이 섬에서 주말에 할 수 있는 일은 생각보다 많지 않다.

행복도 소나무 숲까지 걸어가는 길은 오르막이 심하고 급커브가 많은 도로다. 인도는 없다. 소나무 숲까지 가려면 1시간 30분 정도 걸린다. 걷는 게 힘들기도 하지만 평일에 쌓인 스트레스를 풀어준다.

해안선을 따라 펼쳐진 길을 걷다 잠시 멈추고 고개를 들면 끝없이 펼쳐진 바다가 보인다. 매일 보는 바다인데도 감탄이 나왔다. 이런 선물 같은 풍경을 보려고 나는 행복도에 살게 되었나 보다.

2019년 4월 7일 일요일 오후 10시

관사 앞 모래사장에 앉아서 바다를 그린 일요일이었다. 아침엔 학교에 초과근무를 달고 내 교실에서 근무했다. 토요 대기조였다. 내가 섬밖에 자주 안 나가는 걸 다른 선생님께서 아시고, 대신해 달라고 부탁하셔서 거의 내가 매주

하게 되었다.

이 학교는 일이 많다. 교직원 수가 얼마 되지 않아서 1인당 하게 되는 업무가 많을 수밖에 없는 것 같다. 다음 주 해야 할 운영 계획서를 미리 작성했다.

오후에는 그림을 그렸다. 어떨 때는 갯벌이 어떨 때는 흐릿한 바다 풍경이 마법 같다. 오늘은 해가 지는 바다 풍경을 그리고 싶어서 오래 앉아있었다. 그림을 그리다 유나 선생님을 만났다. 빨리 행복도에서 탈출하고 싶다고 했다. 이렇게 주말이 지나갔다.

2019년 4월 8일 월요일 아침 10시

아침에 일어났는데 문자가 와있었다. 학교 행정실에서 단수가 됐으니 물이 안 나올 거라는 내용이었다. 화장실에서 물을 틀어봤다. 물이 한두 방울 나오더니 끊겼다. 부엌 싱크대에서 물을 틀어봤다. 물이 정말 나오지 않았다. 갑자기?? 이렇게 진짜 물이 안 나온다고??

세수도 못 하고 그대로 출근했다. 학교 정수기에도 물이 나오지 않았다. 당황스러웠다. 다른 선생님들도 마찬가지였다. 비가 많이 오지 않아 가뭄이 오래되어서 물 공급이 어렵다고 했다. 섬 주변에 있는 바닷물은 도움이 되지 않는다고 했다.

이런 일이 작년에도 한 번 있었지만, 적응이 안 되는 건 어쩔 수가 없다. 이런 곳에서도 사람이 살아야 하다니...

내일은 꼭 물이 나왔으면 좋겠다.

2019년 4월 9일 화요일 오후 7시

저녁을 먹고 일기를 쓰는 화요일이다. 퇴근하고 관사에 오니 다시 물이 나왔다. 샤워했다. 깨끗한 물을 쓸 수 있다는 게 정말 감사한 일이라는 것을 다시 느꼈다. 살다 보면 정말 필요했던 게 뭔지 잊고 사는 것 같다.

방과 후에 전문적 학습 공동체가 있었다. 몇 달에 한 번 선생님들끼리 모여 뭘 만드는 시간이다. 이번 달은 무드 등을 같이 만들었다. 과학실에서 유나 샘이 무드 등 만드는 재료와 영상을 준비해 주셨다.

맥주도 있었다. 무드 등을 만들지 않고 선생님들끼리 술을 마시면서 이야기했다. 맨날 술이다. 무드 등은 만들지 못하고 재료만 가지고 왔다.

2019년 4월 10일 수요일 오후 7시

내리는 비처럼 우울한 수요일이다. 지난 주말에 작성한

운영 계획서가 반려됐다. 수정할 점을 듣고, 몇 번 다시 기안을 올렸지만, 수정 사항이 계속 바뀌었다. 그때마다 나는 문서를 회수하고 다시 수정해서 올렸다.

업무와 관련해서 다른 부장님께 모르는 것을 물어봤다. 지난번에 물어본 것이라면서 한번 말할 때 알아듣고, 물었던 건 다시 묻지 말라고 했다. 그 말을 듣고, '한 번 설명을 듣고 이해하지 못하는 내가 멍청한 건가.'라는 생각이 들었다.

2019년 4월 11일 목요일 오후 8시

잔치국수가 먹고 싶은 목요일이다.

2019년 4월 12일 금요일 오후 10시

오늘도 금요 대기조인 금요일이다. 하지만 오늘은 교무실에 혼자 있지 않았다. 김호진 선생님과 같이 있었다. 그분은 금요 대기조가 아니었는데도 섬을 나가지 않고 학교에 남아있었다. 왜 남아있냐고 물었다. 그 선생님은 인천에 있는 가족을 보고 싶지 않다고 했다. 집에 가도 보통 방에서 게임을 하면서 시간을 보낸다고 했다. 나에게는 보고 싶어도 없는 가족인데 그런 말을 하는 선생님이 부러웠다. 하지만 세상에 모든 가족이 화목한 건 아닌 것 같다.

김호진 선생님이 지난번 받은 무드 등은 다 만들었냐고 나에게 물었다. 내가 못 만들었다고 하니까 자기는 다 만들었다면서 나에게 선물로 주겠다고 했다. 나는 괜찮다고 했지만, 그럼 자기가 만든 무드 등과 내가 갖고 있던 무드 등 재료와 바꾸자면서 자기는 또 만들면 된다고 했다. 사실 무드 등을 혼자 만드는 게 귀찮았던 나는 고맙다고 인사를 하고, 김호진 선생님이 준 무드 등을 받았다. 그리고 관사 침대 머리맡에 무드 등을 두었다. 주황색 불빛이 자기 전 켜기에 마음에 든다.

2019년 4월 14일 일요일 오후 8시

이틀 동안 그림을 그리느라 일기를 못 썼다. 그림은 '행복도'와 '지금도'의 풍경이다. '행복도'와 '지금도'를 연결하는 다리도 그렸다. 그리고 그 두 섬 사이에는 쾌속선이 둥둥 떠다니고 있다. 그림 속의 '나'는 '행복도' 배 터에 앉아서 그림을 그리고 있다.

처음엔 낮 풍경을 그리려고 했지만, 밤 풍경으로 바꿨다. 상현달 때문이다. 어제 퇴근길에 문득 밤하늘을 봤는데 상현달이 밝게 비추고 있었다. 어릴 적 별명이 '상현달' 이었던 상현 오빠가 생각이 났다. 그림 속 '상현달'이 '나' 를 내려다보며 비추고 있는 그림을 그리고 싶다는 생각이 들었다.

이 그림을 그리다가 문득 지금은 보기 싫은 풍경이어도 섬을 떠나면 그리워질 수도 있을 것 같다. 아직 스케치밖에 하지 못했지만, 다음에 채색해 보려고 한다. 오랜만에 행복한 하루였다.

2019년 4월 15일 월요일 맑음

피곤한 월요일이었다. 어제 잠을 못 잤다. 수학 시간에 단원 평가를 했다. 40분 수업 시간 동안에 성원이가 가장 빠르게 먼저 풀고, 매겼다. 전부 다 맞았다. '똑똑하다'라는 단어는 저런 아이를 보고 하는 말이다. 정말 똑똑한 아이다. 생각하는 것도 빠르고, 이해하는 것도 어른스럽다. 나는 결혼도 안 했지만, 내 아들도 성원이 같았으면 좋겠다.

방과 후에는 협의록 기안을 올렸다. 교무부장이 협의록이 마음에 안 든다며 다시 하라고 했다. 나는 다시 회수하고 기안을 올렸다. 또 마음에 안 든다고 했다. 부장까지 가기 전에 협조 라인에 있던 여러 명의 동료 선생님들에게서 전화가 왔다. 이게 무슨 일이냐고, 왜 결재가 안 나냐고 했다. 나는 계속 죄송하다고 말했다. 우울한 날이었다.

2019년 4월 16일 화요일

속이 안 좋은 화요일이다. 화요일은 방과 후 수업이 있다. 영원이가 나에게 편지를 써줬다. 감동적이었다.

퇴근 후에는 속이 안 좋아서 학교 앞 보건지소에 갔다. 내과에 가서 소화제를 받았다. 약값을 포함해서 진료비가 1,000원이 안 되었다. 계산하고 나가려는데 내과 진료실 반대편에서 문 열리는 소리가 들렸다. 고개를 돌려보니 치과 진료실이었다. 보건지소에 치과 진료실이 있는지 몰랐다. 의사 가운을 입고 마스크를 낀 남자분이 걸어 나왔다. 그 모습이 흰 강아지 한 마리가 뛰쳐나오는 것 같은 귀여움이었다.

의사 선생님이 내 진료비를 계산해 주던 직원과 이야기를 웃으며 나눴다. 마스크를 껴도 잘생김은 가릴 수가 없었다. 그 사람을 보자마자 나는 흰 피부에 쌍꺼풀이 있는 사람을 좋아한다는 것을 깨달았다. 처음 보는 사람이었는데도 첫눈에 반할 수 있는 게 신기했다. 다음에는 내과가 아니라 치과를 가 봐야겠다.

2019년 4월 17일 수요일 오후 5시

우울한 수요일이다. 교감 선생님이 오후에 업무용 메신저로 자기 관사에서 저녁 회식이 있으니 모이라고 했다. 우울했다. 교무실과 텃밭에서 상추를 기르는 데 상추가 많다고 회식에서 같이 먹자고 했다. 오늘은 혼자 쉬고 싶었다. 하지만 회식에 가지 않을 수가 없었다. 처음 이 섬에 왔을 때 어느 부장님이 한 말이 생각났다. 우리 학교는 교직원 수가 적으니 아파서 쓰러진 게 아니면 나와서 같이 있어야 한다고. 아파서 쓰러지고 싶은 날이었다.

2019년 4월 18일 목요일 오후 6시

금요일 같은 목요일이다. 피곤하다. 어제 회식에서 또 술을 마셨다. 조금 많이 마셨는지 속이 아플 정도로 쓰리고 머리가 아팠다. 피곤한 몸으로 6시간 수업을 하려니까 힘들었다.

관사에 오자마자 제습기를 틀었다. 바닷바람 때문에 습해서 틀 수밖에 없다. 샤워하다가 화장실 바닥에서 거미 한 마리와 공벌레 몇 마리를 죽였다.

2019년 4월 19일 금요일 오후 7시

배가 뜨지 않은 금요일이다. 다른 선생님들도 모두 학교를 떠나지 못했다. 평소였으면 나는 교무실에서 근무했겠지만, 교실 근무를 했다.

어제 학급운영비로 아이들 학습 준비물 품의를 올렸는데 수업 시간이 부장에게서 쪽지가 왔다. 학습 준비물을 교감선생님께 갖다 드리자고 했다. 수업에 집중이 안 될 만큼 당황스러웠다. 어떻게 하는 게 맞는 건지 잘 모르겠다.

그리고 오늘 교감 선생님이 배가 안 떴으니 내일 회식을 하자고 했다. 아프고 싶은 토요일이었다. 우울하다.

2019년 4월 21일 일요일 오후 2시

늦잠을 자고 일어난 일요일이다. 속이 안 좋아서 아점을 간단하게 먹었다.

어제는 비바람이 심해서 운동을 못 했다. 운동을 하다가는 우산이 날아갈 것 같았다. 운동 대신 저녁 회식을 하러 갔다. 학교 앞에 자주 가는 식당이었다. 자주 먹는 감자탕과 술을 또 먹었다. 오늘은 관사에서 쉬어야 할 것 같다. 이렇게 내 주말이 사라져 간다.

2019년 4월 22일 월요일 오후 11시

정신없이 바쁜 월요일이었다. 공문 처리에 다음 달에 저경력 선생님을 대상으로 동료 장학 겸 임상 장학이 있어서 공개 수업을 준비했다.

점심을 먹고, 복도에서 우연히 보건 선생님을 만났다. 보건 선생님이 요즘 별일 없냐고 물었다. 지난주에 쪽지로 학습 준비물을 갖다 달라는 이야기를 들었다고 말했다. 보건 선생님이 한 번 갖다주면 계속 갖다줘야 하니까 갖다주지 말라면서 쪽지 지우지 말고, 남겨놓으라고 했다. 그리고 앞으로 교무실 갈 때마다 녹음하라고 했다.

처음엔 나는 녹음?? 하고 의아했다. 보건 선생님이 신고하려면 객관적인 증거가 필요하다며 하는 게 좋겠다고 말했다. 동료들과의 대화도 녹음이 필요한가. 교무실에 갈 때마다 휴대폰 녹음기를 켜고 들어가는 내 모습을 상상했다. 그렇게까지 해야 하나. 이게 정상적인 학교의 모습일까. 다른 학교도 이런가. 잘 모르겠다. 녹음해서 신고하면 과연 이 답답함과 우울함이 사라질지도 모르겠다.

2019년 4월 23일 화요일 오후 6시

교무실에서 앞담화를 들은 화요일이다. 교무실에 볼일 있어 갔다. 내가 교감 선생님께 무슨 말을 했는데 부장님이 교감 선생님께 내 말투가 왜 저러냐고, 이상하다고 했다. 내가 보는 앞에서.

내 말투가 어때서?? 내 말투가 뭐가 이상한지 어떻게 바꾸라는 말은 없었다. 내 말투에 사투리가 있어서 그런가도 생각해 보았다. 나는 사투리가 심한 편은 아닌 것 같다. 어떤 선생님은 나에게 사투리를 안 쓰는 게 신기하다고 말하고, 어떤 선생님은 억양에 사투리가 조금 있는 것 같다고 말했다. 뭐가 문제인지 나는 잘 모르겠다.

어떤 사람은 나에게 부산에서 태어나서 자랐으니 부산 사람이라고 말하고, 어떤 사람은 이제 사는 곳이 인천이니 인천 사람이라고 말한다. 내가 사투리를 쓰는지 전혀 안 쓰는지 나는 모르겠다. 내가 부산 사람인지 인천 사람인지 아니면 둘 다인지 모르겠다.

하지만 확실한 건 행복도에서 나는 이방인이다. 섬사람이 아니다. 언젠 간 이 섬을 떠날 거다. 그래서 내가 사투리를 쓰는지 안 쓰는지는 모르겠지만, 다른 사람 앞에서 최대한 사투리를 안 쓰려고 노력하는 것 같다. 이미 이방인인데 더 이방인처럼 보이고 싶지 않다.

2019년 4월 26일 금요일 오후 10시

오랜만에 쓰는 일기다. 학교에서 일하고, 관사에 와서는 쉬느라 일기를 쓸 여유가 없었다. 점심시간에 정수가 주말에는 뭐하냐고 물었다. 나는 그림을 그리거나 행복도 주변을 걷는다고 했다.

정수는 '지금도'에서 아빠와 형 둘과 사는 아이다. 어렸을 때 부모님이 이혼하셔서 엄마와는 연락을 안 한다고 했다. 가끔 집에 큰 쥐도 나타난다고 했다. 언제 한 번 자기 집에 놀러 오라고 했다. '지금도'에 한 번도 가본 적이 없었는데 한번 가고 싶다는 생각이 들었다. 나는 내일 가도 되냐고 물었더니 정수가 오라고 했다.

2019년 4월 27일 토요일 구름 조금

정수네 집에 놀러 간 토요일이다. 지금도에 가려면 버스를 타고 가야 하는 데 언제 어디서 타는지 몰랐다. 도시처럼 버스가 자주 정기적으로 오지도 않고, 언제 버스가 오는지 찾아볼 수 있는 데가 없었다. 하지만 정수가 걱정하지 말라면서 자기가 아침 10시쯤 전화를 하면 그때 선착장 앞에 있는 버스를 타면 된다고 했다. 자기도 마중을 나오겠다고 했다.

정수 전화를 받고 나는 학교에서 달려서 선착장 앞에 있는 버스를 탔다. 버스 카드를 찍으려고 봤더니 현금밖에 받지 않는다고 했다. 버스에는 여행객들과 할머니, 할아버지들이 북적거리며 타고 있었다. 그리고 정수뿐 아니라 행복초 학생들 네 명이 의자에 앉아 있었다. 현금이 없는 나는 어떡하지, 고민하고 있는데

"그냥 타도돼요."

같이 따라온 지율이가 말했다.

"버스 기사 아저씨도 우리 아빠 친구예요."

3학년 도연이가 말했다.

"그냥 타세요." 버스 기사분이 말했다.

이 버스를 못 타면 오늘 '지금도'를 가는 것은 글렀다 싶어 얼떨결에 무임승차를 하게 됐다.

버스에 내려 바로 도착한 정수네 집은 1층 주택이었다. 다른 가족들은 주말인데도 어디 나가시고 안 계셨다. 문 앞에는 크게 짖는 큰 개가 목줄을 단 채 집을 지키고 있었고, 문을 열고 들어가면 양쪽에 집이 있었다. 집 바닥은 끈적끈적했다. 방에는 온갖 물건들이 정리되지 않은 채 무덤처럼 쌓여 있었다. 방에 앉을 공간이 없었다. 다시 관사로 돌아가고 싶었지만 그럴 수 없었다. 방금 왔고, 행복도로 돌아가는 버스도 오후에 1대 밖에 없다고 했다.

우리는 정수네 집 앞에 있는 테라스에 앉았다. 그리고 지금도 바닷가 풍경을 보며 컵라면을 먹었다. 내가 정수만 만나는 줄 알았는데 여러 명이 버스에 앉아있어서 놀랐다고 말했다. 아이들이 내가 정수를 만난다는 소식을 듣고, 따라 왔다고 했다. 그렇게 말하는 아이들이 귀여웠다.

컵라면을 먹고, 버스 시간이 될 때까지 바닷가에서 놀다가 지금도 주변을 걸었다. 정말 아~~~무 것도 없었다. 주택과 바다와 논과 밭이 전부였다. 이런 곳에서 사람이 사는 게 가능한가. 아이들이 가능한 일이라고 했다. 행복도에 처음 왔을 때 들었던 생각이 다시 들었다. 그래도 행복도에는 마트도 있고, 농협도 있고, 우체국도 있었는데 여기는 정말 아무것도 없었다.

아이들과 지금도 산길을 한 줄로 걸었다. 맨 앞에 서서 걷는 나를 아이들이 졸졸 따라왔다. 문득 내가 피리 부는 사나이가 된 것 같았다. 아이들에게 섬에서 사는 게 답답하고 심심하지 않냐고 물었다. 아이들이 심심하지 않다고 했다. 어떻게 그게 가능한지 신기했다.

아마도 다윈의 진화론처럼 아이들도 섬이라는 환경에 적응하며 자란 것 같다. 아이들과 오후 버스를 타고 행복도로 돌아왔다. 아이들은 학교 앞 바다에서 물놀이를 했다. 나는 음료수를 갖다주고 다시 관사로 돌아왔다. 피곤했지만, 즐거웠다. 하지만 '지금도'에 다시 갈 일은 없을 것 같다.

2019년 4월 28일 일요일 오후 5시

비가 오는 일요일이다. 우산을 쓰고, 학교 교실에 나가서 근무했다. 이번 주도 토요 대기조였다. 나는 섬에서 대부분 시간을 교실에서 보낸다. 교실이 집 같다.

2019년 4월 30일 화요일 오후 10시 45분

바쁜 화요일이었다. 수업 후 지난주에 품의 올린 학습 준비물을 아이들에게 나눠줬다. 부장님의 말대로 교무실에 갖다 놓을까도 고민했지만, 이미 아이들에게 다 이야기를 해둔 상태라 뺄 수가 없었다.

오후에 복사하러 잠깐 교무실에 갔다. 교감 선생님이 학습 준비물은 갖고 왔냐고 물었다. 뭔가 깡패 같았다. 내가 아이들에게 나눠줬다고 하자 교무실을 나갔고, 부장님과 나만 단둘이 교무실에 남았다. 교무실이 너무 조용했고, 그 정적이 숨이 막혀 왔다. 부장님이 나를 불러 혼을 냈다. 일기에 적고 싶지도 기억하고 싶지도 않은 말이었다.

2019년 5월 2일 목요일 오후 6시

어제 잠을 제대로 못 자서 피곤한 목요일이다.

어제 있었던 일을 오늘 적는다. 부장님에게서 전화가 왔다. 지난주 화요일에 기안문을 올렸는데 아직 결재받지 못했다. 내가 올린 기안문이 마음에 안 든다고 했다. 그리고 교감 선생님에게서 전화가 왔다. 교무실에 오라고 했다. 이제는 전화 소리만 들어도 심장이 두근대고 무서워졌다. 어제와 차이점이 있다면 교무실에 들어가기 전에 휴대폰 녹음기를 켰다는 것이다.

기안 올리기 전에 '종이로 뽑아서 검토는 왜 안 받았냐.'고 교감 선생님이 물었다. 그리고 왜 이렇게 문서를 작성했는지 하나하나 다 물었다. 따지는 것 같기도 했다. 부장이 그 모습을 지켜보고 있었다. 나는 내가 아는 대로 대답을 했다. 그리고 교감 선생님께 궁금한 점을 물었는데

"네 엄마보다 나이 많은 사람에게 무슨 말대꾸냐"며 욕을 들었다. 나는 아무 말도 하지 못했다. 나올 것 같은 울음을 가까스로 참았다.

교실로 돌아오니 퇴근 시간이 되었다. 장학사에게 쪽지가 와있었다. 전화가 가능한 시간을 알려주면 전화하겠다는 내용이었다. 나는 급한 연락이면 휴대폰으로 연락을 달라고 번호를 알려 줬다.

관사에 들어오는데 나도 모르게 눈물이 나왔다. 이제야 편하게 울 수 있을 것 같았다. 관사에서 엉엉 울고 있는데 '032'로 시작하는 번호로 전화가 왔다. 아까 그 장학사였다. 나는 전화를 받고도 말을 못 하고 계속 울었다. 장학사는 기다렸다가 무슨 일이 있는 거냐고 물었다. 오늘 있었던 일을 말하자 장학사가 "그건 선생님의 교사 전문성을 신장시키면 해결될 수도 있는 일 아니냐."고 했다.

나는 녹음도 했고, 신고도 하고 싶다고 말했다. 장학사는 신고해서 뭐 할 거냐고 물었다. 나는 망설이다가 이 행복도를 떠나고 싶다고 말했다. 장학사는 신고한다고 해서 바뀌는 건 아무것도 없을 거라며 한숨을 내쉬었다.

자기가 연락한 진짜 이유는 '도서 지역 신규교사' 대상으로 하는 연수 신청 때문이라고 했다. 그 연수를 들으면 이 상황도 나아질 것이라고 했다.

2019년 5월 3일 금요일 오후 4시

이번 주는 배가 든 금요일이다. 선생님들이 기뻐했다. 나는 오늘도 금요 대기조로 교무실에서 근무했다. 김호진 선생님도 같이 있었다. 김호진 선생님이 요즘 어떻게 지내냐고 묻길래 나는 우울하다고 했다. 그 선생님이 나에게 왜 우울하냐고 물었는데 이유는 말하지 못했다.

김호진 선생님이 가방을 뒤적거리더니 초콜릿 두 개를 줬다. 단 거를 먹으면 기분이 나아질 거라고 했다. 그리고 동료 장학 수업 준비는 잘 되고 있냐고 물었다. 내가 준비 중이라고 하니 필요한 게 있으면 도와주겠다고 했다. 그런 말을 해준 그 선생님이 고마웠다.

2019년 5월 4일 토요일 오후 7시

늦잠을 잔 토요일이다. 아침 겸 점심을 먹고, 행복도 숲까지 걸어갔다. 가끔 바이킹 하러 다니는 사람들이 보였다. 자동차들이 정말 빠르게 씽씽 지나갔다. 나는 이어폰으로 음악을 들으며 걷는데 차가 오는 소리를 못 들을 때도 있었다. 위험해 보였지만, 이 길이 이 섬에서 그나마 운동하기에 괜찮은 길이었다.

2019년 5월 6일 월요일 오후 6시

그림 '행복도와 지금도'를 완성한 월요일이다. 어제오늘 캔버스에 유화 물감으로 채색했다. 밤이 되면 섬을 이어주는 다리에 불빛이 들어오는 모습을 공들여 칠했다. 야경이 예쁜 모습을 살리고 싶었다. 완성한 그림은 둘 곳이 없어 방문 앞에 두었다. 공개 수업 때 사용해도 좋은 그림이다.

교사가 되고 나서 좋은 점이 하나 있다면 유화물감을 걱정 없이 넉넉하게 살 수 있는 것이다. 앞으로도 시간 날 때마다 그림을 더 많이 그려야겠다.

2019년 5월 7일 화요일 오후 7시

학부모 상담 주간으로 오후에 학부모 한 분과 상담했다. 유성이 할아버지였는데 휴대폰 게임을 집에서 너무 많이 해서 걱정이라고 하셨다. 유성이는 할아버지랑 단둘이 살고 있다. 동생들과 부모님은 인천 육지에 사는 아이다.

오후에 1학년 교실을 지나가는데 우연히 봤다. 학부모님이 부장님께 봉투를 건네주는 것을.

2019년 5월 9일 목요일

어제 어버이날을 기념하여 회식이 있었다. '꽐라'가 돼서 일기를 못 적었다. 교감 선생님이 부모님께 용돈은 많이 드렸냐고 묻길래 대충 얼버무렸다. 가족 이야기를 할 때마다 나는 외로운 섬이 된다.

하지만 학교 사람들은 내가 고아라는 것을 모른다. 그러니

'지난번에도 엄마보다 나이 많은 부장'이라고 말했겠지. 이 섬을 떠날 때까지 내가 고아라는 걸 몰랐으면 좋겠다. 색안경을 끼고, 내 약점이 될 것 같다. 살면서 내가 만나 온 사람들 대부분은 그랬다.

2019년 5월 10일 금요일 구름 조금

우리 학교 부장들은 올챙이 시절을 기억하지 못하는 개구리 같은 사람들이다. 경력이 몇십 년이 되었어도 자기들도 올챙이 시절이 있었을 텐데... 왜 아무것도 모르는, 처음 배우는 사람들의 입장을 이해하지 못할까. 너무 오래전이라 기억도 나지 않는 건가. 나도 경력이 쌓이면 저런 모습으로 되어 있을까. 나는 저런 선배 교사가 되지 말아야지.

2019년 5월 11일 토요일 구름 조금

토요 대기조여서 학교 근무를 했다. 교실에 가는 길에 1학년 교실을 잠깐 갔다. 교실 문은 열려 있었다. 책상을 뒤졌다. 책상 서랍은 잠겨 있었다. 열쇠는 키보드 아래에 있었다. 마지막 서랍 안에 학부모가 준 봉투가 있었다. 봉투에는 수표가 있었다. 사진을 찍고 돈을 챙겼다.

2019년 5월 12일 일요일 구름 조금 오전 12시

상현달이 뜬 일요일이다. 잠들기 전 일기를 쓴다. 오늘도 행복도 숲길을 따라 걸었다. 평소와 다르게 늦게 출발해서 돌아오는 길이 무서웠다. 해는 이미 지고, 어두컴컴했다. 가로등이 없는 산속의 도로 밤길은 앞이 보이지 않았다. 그리고 어디선가 동물 울음소리가 들려오기 시작했다. 어디선가 나타나서 날 잡아먹을 것 같았다. 차라리 자동차라도 지나갔으면 좋을려만 날이 어두워지니 지나가는 자동차들도 없었다. 무서워서 누구에게라도 전화하고 싶었다. 옆에 이야기할 사람이라도 있으면 공포가 덜할 것 같았다.

휴대폰을 켜서 주소록을 뒤졌다. 전화할 만한 사람이 한 사람밖에 없었다. 상현 오빠였다. 다행히 상현 오빠가 전화를 받았다. 집에서 저녁을 먹고 쉬고 있다고 했다. 거의 한 달 만에 하는 통화였다.

나는 오늘 운동가는 길에 있었던 일을 이야기했다. 회색 트럭을 몰던 아저씨가 조수석에 있는 사과 하나를 나에게 건네준 일이었다. 그 이야기를 들은 상현 오빠가 아무에게서 받은 음식을 함부로 먹는 게 아니라고 말했다. 거기에 독이 들어갔을지 누가 아냐면서 먹지 말라고 했다.

그리고 나에게 하늘을 보라고 했다. 고개를 들어 밤하늘을 봤다. 노란 상현달이 떠 있었다. 이상하게 상현 오빠가 나를 하늘에서 내려다보는 느낌이 들었다. 무서움이 조금 사라졌다. 이런저런 얘기를 하다가 시간이 흘러갔고, 마을 가의 불빛이 보였다. 살았다는 생각이 들었다. 상현 오빠가 나중에 한번 만나자고 했다. 나는 알겠다고 하고 전화를 끊었다.

관사로 돌아와 나는 손에 쥐고 있던 사과를 들고 먹어야 할지 고민했다. 5월에 사과가 있다는 것도 신기한 일이었다. 이 사과에 정말 독이 들었을까. 들었을 수도 있고, 아닐 수도 있다. 문득 마녀가 준 사과를 먹고 쓰러진 백설 공주가 생각이 났다.

하지만 난 백설 공주가 아니었다. 쓰러지면 날 지켜줄 난쟁이들도 이 행복도까지 구하러 와줄 왕자님도 없다. 사과를 준 마음은 고맙지만, 버렸다.

2019년 5월 13일 월요일 오후 7시

방과 후에 보건 선생님께 연락이 왔다. 지율이가 자해하는 것 같다고. 오늘 오전에 지율이가 팔목에 상처가 생겼다며 보건실에 갔었다. 보건 선생님이 어디에 긁혀서 생긴 상처라고 보기에는 여러 번 반듯하게 그어진 가로줄의 상처였다고 했다.

그래서 보건 선생님이 지율이에게 “정말 다친 게 맞냐, 네가 그은 건 아니냐.”라고 물었더니 “자기가 그었다.”라고 말했다고 했다. 그러니 다음에 지율이와 상담도 하고, 위기 관리 위원회도 열어야 할 것 같다고 말했다. 충격적이었다. 말로만 듣던 ‘자해’를 진짜 하는 학생이 우리 반이었다니. 나는 알겠다고 하고 전화를 끊었다.

2019년 5월 14일 화요일 오후 7시

쉬는 시간에 자해에 대해서 틈틈이 찾아봤다. 자해를 왜 하게 되는 건지 어떤 의미가 있는 건지. 다 이해할 수는 없었지만, 지율이에게 상처 되는 말을 해서는 안 되겠다고 생각했다.

방과 후에는 지율이와 빈 교실에서 상담했다. 왜 자해를 하게 된 거냐고 물었다. SNS에서 자해하는 언니, 오빠들을 보는데 멋있어 보여서 따라 하게 되었다고 했다. 그리고 자해를 하고 나면 터질 것 같은 스트레스가 차분하게 사라진다고 했다. 자해를 유행처럼 따라 하는 것도 스트레스를 풀기 위해 하는 것도 이해가 되지 않았다. 하지만 지율이의 말을 아무 말 없이 들었다.

그리고 지율이가 순수한 눈빛으로 나를 보며 말했다.

“선생님도 나중에 해보세요. 풀지 못하는 스트레스가 풀려요.”

나는 괜히 내 팔목을 쥐었다. 정말 손목을 그으면 풀지 못하는 스트레스가 풀릴까.

나는 지율이에게 앞으로 힘든 일이 있으면 선생님에게 말로 풀고, 몸에 상처는 내지 말라고 말했다.

2019년 5월 15일 수요일 밤 11시

오늘 퇴근길에 김호진 선생님을 만났다. 나에게 요즘 늦게까지 안 자고, 뭐하냐고 물었다. 내가 요즘 늦게 잤었나, 되짚어봤다. 12시가 넘어서 잤던 적이 종종 있었다. 근데 내가 늦게 자는 건 이 사람이 어떻게 알았을까. 물어봤다. 김호진 선생님이 밤늦게 가끔 운동하거나 옆 관사 정수기에 물 뜨러 관사를 나오면 항상 내 관사 불이 켜져 있어서 알았다고 했다. 그 말을 듣고, 소름이 돋았다. 설마 지금도 지켜보고 있는 건 아니겠지.

2019년 5월 16일 목요일 구름 조금

오후에 몸이 안 좋아서 보건실에 갔다. 보건 선생님이 요즘은 학교 다닐만하냐고 물었다. 나는 그냥 그렇다고 대답했다. 그리고 녹음도 같이하고 다닌다고 말했다. 그리고 장학사에게 온 연락도 말했다.

보건 선생님이 그 장학사가 마음에 안 든다고 했다. 선생님의 힘든 점을 이해하고 공감해 줬어야지, 결국엔 교육청도 다 똑같은 한통속이라고 말했다. 나중에 증거를 모아뒀다가 신고하고 싶으면 교육청이 아닌 경찰서든 인권위든 '타 기관'을 찾아가라고 했다. 교육청에 신고가 들어가면 결국 내부고발자로 평생 기록에 남고, 학교를 옮겨도 꼬리표를 달고 살 거니까. 동료 교사를 신고한 교사를 어떤 동료가 좋아하겠냐고 나에게 물었지만 그건 질문이 아니었다.

어느 게 맞는 건지 잘 모르겠다. 나는 신고한다는 게 일을 크게 만들고 무섭다는 생각이 들었다. 내가 보건 선생님에게 교장 선생님께 말씀드려보는 건 어떠냐고 물었다. 보건 선생님이 고개를 저었다. 대다수 관리자는 일이 커지는 걸 좋아하지 않을 거라고, 그리고 일이 생긴다고 한들 '선생님'의 안위를 걱정하는 게 아니라 '학교'의 안위를 먼저 걱정할 거라고. 그러니 신고하고 싶으면 타 기관이 맞다고 했다. 이런 걸 잘 알고 있는 보건 선생님이 신기했다.

2019년 5월 17일 금요일 오후 11시

월급날이어서 기분이 좋아야 하는데 불안한 금요일이다.

오늘도 금요 대기조였다. 혼자 교무실에서 근무했다. 퇴근하고, 씻고 휴대폰을 보는데 부재중 전화 10통이 와있었다. 김호진 선생님이었다. 게다가 저녁을 같이 먹자고 문자가 와 있었다. 난 이미 샤워도 했고, 저녁을 먹었다고 문자로 답장을 보냈다. 솔직히 이 선생님과 저녁을 먹고 싶지 않았다.

1시간이 지났을까. 관사 초인종이 울렸다. 내가 아무 반응도 없자 초인종이 몇 번 더 울리더니 문을 두드렸다. 관사 불이 켜져 있었으니 없는 척하기에는 늦었다 싶어 자다가 일어난 척 문을 열었다. 그 사람이었다. 무슨 일이냐니까 저녁이라며 나에게 토스트를 줬다. 예의상 받고 문을 닫았다. 이 토스트를 어떻게 해야 하나 고민이 들었다. 순간 낯선 사람에게서 음식 받아먹는 거 아니라고 한 상현 오빠의 말이 생각이 났다. 토스트를 버렸다. 관사 창문을 가릴 암막 커튼을 하나 주문했다.

2019년 5월 18일 토요일 흐림

왜 나는 이 행복도에서 살게 된 걸까. 인천에 수많은 학교 중에 왜 나는 행복초등학교 교사가 된 걸까. 2년 동안 근무하면서 수십 번 들었던 의문이다.

그건 아마도 내가 섬 같은 존재여서가 아닐까. 내 그림을 빤히 보다가 든 생각이었다. 혼자 외로이 떨어져 있는 느낌으로 26년을 산 것 같다. 그게 내가 일기를 쓰지 않을 수 없는 이유이기도 하다. 내가 내 일상을 기록하지 않으면 나도 내가 누구인지 모르고, 죽은 뒤에는 아무도 나를 기억하지 않을 것 같다.

2019년 5월 19일 일요일 비

비 오는 일요일이다. 관사에만 있기가 답답해서 우산을 쓰고, 행복도 숲으로 걸었다. 도로 바닥에 뭐가 있었다. 처음엔 검은 봉지인 줄 알았다. 가까이 가서 보니 죽은 검은 고양이었다. 차에 치여 죽은 것 같다.

계속 걸을까 고민하다가 발길을 돌렸다. 나도 저렇게 차에 치여 죽겠다는 불길함이 들었다.

2019년 5월 20일 월요일 비 오후 7시

정성스럽게 그린 돈 그림을 교무부장 서랍에 넣어둔 월요일이다. 네가 한 일을 모두 알고 있다, 신고할 거라는 글도 같이. 나 혼자서만 괴로울 수는 없는 거니까. 내가 느낀 괴로움이 어떤 것인지 그 사람도 조금은 느껴봐야 한다.

2019년 5월 21일 화요일 맑음

교직원 회의가 있었던 화요일이다. 녹음기를 켜고 들어갔다. 교무부장님이 뭔지 모르지만, 전 직원 서명란이 있는 종이를 내밀면서 사인을 해달라고 했다. 뭔지는 몰랐지만, 다른 선생님들도 다 하길래 나도 서명했다. 근데 하 부장님이 자기는 안 하겠다면서 담당 장학사한테 물어보고 하겠다고 했다. 교무부장님이 화를 냈다. 부장님은 끝까지 서명을 안 하고, 교무실을 나갔다. 나는 왜 화를 내는지 하 부장님은 왜 서명을 안 하는지 이해가 가지 않았지만, 종종 있는 일이다. 교무실은 동료 교사를 뒷담화하거나 싸우거나 그런 장소다.

2019년 5월 22일 수요일 맑음

방과 후에 교무실을 갔다. 어제 회의 때처럼 분위기가 안 좋았다. 교무부장님이 '간신배'라고 누군가를 욕하고 있었다. 나중에 유나샘에게 이게 무슨 상황이냐고 물었다. 유나샘이 어제 교직원들이 서명한 게 '교무부장님이 승진 점수를 받는 데에 동의한다.'라는 서명인데 학교에서 1명만 받을 수 있다고 했다. 하 부장님이 교무부장님이 승진 점수를 받는 게 싫어서 서명을 안 한 것 같다고 했다.

그제야 조금 이해가 갔다. 신규교사로 타의에 의해 발령이 난 게 아닌 나머지 사람들은 도서 지역 승진 점수를 받기 위해 왔다. 그러니 0.001점의 승진 점수도 서로 갖기 위해 싸우는 거다. 저렇게 동료와 실컷 싸우고, 승진하면 무엇이 좋은 걸까, 라는 의문이 든다.

내가 나에게 묻는다. '너는 승진하고 싶어?' 교사가 되기 위해 임용고시를 공부하고, 교사로 근무하는 지금도 힘들다는 대답이 돌아왔다. 승진하려면 최소 20년 이상은 교사로 있어야 한다는데 아직 2년밖에 지나지 않았다. 나에게는 행복도 2년은 20년 같은 2년이었다. 시간이 거북이처럼 느리게 간다. 남은 18년 교직 생활을 이렇게 보낼 자신이 없다.

승진하면 행복할까. 이미 승진한 교감, 교장 선생님을 보면 마냥 행복해 보이지 않는다. 그 자리에서 지켜야 할 책임과 의무가 무거워 보이고, 학교를 위한 걱정들이 많아 보인다. 그게 보람이고 행복이면 할 말이 없지만, 나는 그런 사람은 아닌 것 같다.

승진하려고 온 부장님들도 행복해 보이지 않는다. 승진을 위해 쌓아야 할 것도 포기해야 할 것도 많아 보인다. 평일에 가족도 못 만나고, 일은 다른 학교에 비해 훨씬 많을 거고, 퇴근하고 만날 사람은 직장 동료뿐이고, 도시 생활도 누리지 못할 거니까.

나는 지금 아이들을 만나고 수업에 최선을 다하는 게 즐겁다. 그거면 충분하지 않을까.

2019년 5월 24일 금요일 오후 6시

주문한 암막 커튼을 오늘 받았다. 초록색 커튼은 부엌 창문에 남색 커튼은 방 창문에 걸었다. 집이 더 어두컴컴해졌다. 빛을 못 보는 게 아쉽기는 하지만, 이게 더 마음이 편하다.

2019년 5월 25일 토요일 구름 맑음

오늘 점심은 관사에서 감자볶음을 만들어 먹었다. 껍질을 벗긴 감자를 도마 위에 올려두었다. 감자를 채 썰려고 칼을 꺼냈는데 그 크고 날카로운 칼로 내 팔목을 그어버리고 싶다는 충동이 들었다. 나는 감자를 얼른 채 썰고, 다시 칼을 씻어 넣었다. 이상한 마음이었다.

2019년 5월 26일 일요일 구름 맑음

오늘은 상현달이 뜨지 않았다. 하현달이었다.

2019년 5월 27일 월요일 비

공개 수업을 한 월요일이다. 내가 그린 행복도 그림을 수업의 동기유발에 활용했다. 학생은 6명인데 교장, 교감 선생님부터 신규 선생님까지 전 직원이 다 왔다. 40분 내내 내 수업을 지켜보았다. 숨이 막혔다. 수업을 봐주는 건 좋은데 등에서 땀이 났다. 아무튼 수업은 끝나서 기분이 좋다.

2019년 5월 28일 화요일 새벽 4시

제습기 물통을 비워달라는 알람 소리에 잠이 깼다. 아직 여름도 안 됐는데 바닷바람을 품은 5월의 공기는 습하다. 화장실을 갔다 오고 다시 자려고 했는데 잠이 안 온다.

2019년 5월 29일 수요일 오후 8시

퇴근하고 바로 관사에 왔다. 여느 때와 다를 거 없는 날이었다. 하지만 뭔가가... 뭔가가 이상했다. 신발장에 놓인 신발의 위치가 달라진 것 같다. 옷장 서랍에 개어 있던 옷들도 묘하게 바뀌어 있다. 그리고 분명 어제 샤워하고 수건걸이에 수건을 걸어 놨던 것 같은데 수건이 사라졌다. 빨래통에도 없다. 수건이 발이 달린 게 아니면 도대체 어디로 간 걸까. 알 수가 없다. 이상한 일이다.

2019년 5월 30일 목요일 흐림

밤을 지새워 피곤한 목요일이다. 요즘 항상 피곤하다. 샤워하고 씻고 쉬고 있는데 또 그 선생님에게서 저녁을 같이 먹자고 문자가 와 있었다. 읽고 답을 하지 않았다. 1시간 뒤에 초인종 울리는 소리가 났다. 난 관사 불을 끄고, 없는 척 자는 척 조용히 가만히 있었다. 귀를 막고 제발 떠나가길 빌며. 이번엔 문 두드리는 소리가 계속 들렸다. 내 심장도 두근거렸다. 마음이 답답하다.

2019년 6월 1일 토요일 구름 많음

또 학교에 나가 일을 했다. 퇴근하고는 걸었다. 죽은 검은 새 사체를 봤다. 나는 새를 무시하고, 끝까지 걸었다. 웬일인지 관사로 돌아오는 길에 새 사체를 보지 못했다.

2019년 6월 2일 일요일 맑음

행복도 숲길을 향해 걸은 일요일이다. 차가 정말 빠르게 지나갔다. 한 발짝만 내밀면 저 차에 잘 치여 죽을 수 있을 텐데, 라는 생각을 했다. 생각보다 삶과 죽음의 경계는 단단하지 않다. 그 한 걸음의 차이다. 그 한 걸음을 딛으면 나는 죽을 수 있다.

그건 어떤 기분일까. 끔찍한 고통일까, 기분이라고 느끼지도 못할 만큼 순식간의 죽음일까. 한 번 경험해 보고 싶다. 그것도 용기가 필요한 일이다. 그런 용기를 내지 못하는 내가 싫다.

2019년 6월 3일 월요일 오후 5시

뿌듯한 월요일이다. 아이들과 같이 김밥을 처음으로 만

들어 먹었다. 농협 마트에 가서 재료도 사고, 밥도 직접 해 보고 즐거웠다. 김밥 옆구리는 다 터졌지만, 터진 김밥을 아이들 입에 넣어주는 것도 행복한 일이었다.

2019년 6월 4일 화요일 구름 조금

외로워서 잠이 안 온다. 잘 때 나는 속 빈 상자처럼 공허해진다.

2019년 6월 5일 수요일 오후 7시

행정실에서 내일 새벽에 비바람이 세게 불 거라고 안내가 왔다. 퇴근할 때 교실 창문 단속 등 보안 점검과 관사 시설도 파손되지 않게 주의해달라고 했다. 작년에 내 관사 부엌까지 침수가 한 번 된 적이 있었다. 그래서 이번에도 그럴 수 있다고 한다. 이 얘기를 들으니 우울해졌다. 비바람이 잘 지나갔으면 좋겠다.

2019년 6월 6일 목요일 아침 7시

잠을 못 잔 목요일이다. 어젯밤 파도치는 소리가 심해

서 잠을 못 잤다. 철썩철썩 파도가 한 번 칠 때마다 관사도 같이 흔들렸다. 이불로 얼굴을 덮고, 눈도 감아보았다. 몇 번 뒤척이며 잠을 자려고 했는데 잠이 안 왔다. 오히려 이 파도가 날 집어삼키면 어떡하지, 하고 걱정했다. 하지만 그 걱정이 나중엔 오히려 더 좋을 수도 있다고 바뀌었다.

그 파도가 나를 행복도에서 떠날 수 있게 할 수 있을지도 모르니까. 날 집어삼킨 파도가 행복도가 아닌 새로운 어딘가로 데려다줄 수도 있으니까. 이렇게라도 행복도를 떠나고 싶다.

그리고 꿈을 꿨다. 꿈에서 나는 파도가 치는 깊은 바다에 빠져 허우적대고 있었다. 난 수영을 못 한다. 살려달라고 외쳤지만, 주변엔 아무도 없었다. 아무도 내 목소리를 듣지 못했다. 이 바닷물에 빠져 난 이렇게 죽는구나 싶을 때 눈을 떴다. 눈을 감아도 떠도 악몽이다.

2019년 6월 7일 금요일 오후 7시

물이 떨어지는 관사 천장을 발견한 금요일이다. 우울하다. 행정실에 말했더니 다음 주 내로 수리하러 관사에 오겠다고 했다. 일단 급한 대로 양동이라도 물을 받치고 생활하라고 했다.

오후에는 다른 선생님들이 섬을 떠났다. 주말이라도 여기를 떠나고 싶지만 갈 데가 없다. 인천에 집이 있었다면 이렇게까지 고생하지 않았을 텐데. 내 집 마련을 하는 방법을 인터넷에서 찾아보다가 '주택 청약' 통장 정보를 발견했다.

2019년 6월 8일 토요일 비

가위로 어묵을 자르다가 이상한 생각이 들었다. 행동에 옮겼다.

다행히 오늘은 아무도 내 관사에 찾아오는 사람이 없었다.

2019년 6월 9일 일요일 비

오늘 관사 밖을 나가지 않았다. 암막 커튼을 치고, 불 꺼진 관사에서 잠만 잤다.

2019년 6월 10일 월요일

상현달이 뜬 월요일이다. 비가 오는데도 상현달은 밝았다. 어느 순간부터 상현달이 뜨면 상현 오빠와 연락하는 날이 되었다. 그게 암묵적인 약속이다. 그래서 하늘을 자주 보게 된다.

나는 최근 관사에서 있었던 일을 얘기했다. 상현 오빠가 화를 냈다. 정말 이상한 사람들과 이상한 집 같지도 않은 관사라며 얼른 그 섬에서 나오라고 했다.

전화를 끊고, 그 오빠가 했던 말을 되짚어 봤다. 이상한 사람과 이상한 관사. 하필 이상한 사람들만 이 섬에 오는 걸까, 섬이 사람을 이상하게 만드는 걸까. 이것도 잘 모르겠다. 그럼 나도 이상한 사람일까. 나도 점점 이상해지는 중이다.

2019년 6월 11일 화요일 구름 많음

오늘도 이상한 일이 생겼다. 점심시간 관사에 잠깐 왔는데 방의 암막 커튼이 걷혀있고, 창문 잠금이 풀려 있었다. 난 분명 커튼을 걷지 않았는데 이상한 일이다. 내가 커튼을 걷지 않았다면 누가 걷었단 말인가. 혹시 행정실에서 물새는 천장을 수리하러 왔다 간 건가 싶어 물어봤다. 행정실에서는 아니라고 했다. 그럼 도대체 누가?

내가 커튼을 걷었는데 혼자 망상에 빠진 건가. 그게 아니라면 내 관사에 누군가가 몰래 들어왔다는 것이다.

내가 행정실장님께 관사 창문에 철조망이라도 달아주면 안 되냐고 여쭤봤다. 내가 가끔 창문을 열고 관사를 비울 때도 있는데 철조망이 없는 1층이라서 누가 창문을 타고 들어올 수도 있을 것 같다고 말했다. 행정실장님이 가능하면 해주겠다고 하셨다.

2019년 6월 12일 수요일 구름 조금

드디어 비 새는 천장이 수리된 수요일이다. 창문에 철조망도 빨리 설치해 줬으면 좋겠다.

2019년 6월 13일 목요일 구름 조금

어젯밤 악몽을 꾼 목요일이다. 불이 나는 고층 빌딩의 불길을 피해 난 죽을힘을 다해 울면서 도망 다녔다. 공포에 떨며 숨이 차지만 계속 달렸다. 빌딩이 무너지고, 잠에서 깼다.

꿈에서 깨어나서 어두컴컴한 방을 보는데도 무서웠다. 그 어둠 속에서 귀신이 튀어나올 것만 같았다.

2019년 6월 14일 금요일 맑음

관사 창문에 철조망이 생긴 기쁜 금요일이다. 또 기쁜 소식이 있다면 나연 언니가 잘 지내냐고, 연락이 왔다. 나는 솔직하게 행복도에서 사는 게 힘들다고 말했다. 최근에 겪은 이상한 일을 말했더니 나연 언니도 빨리 그 섬에서 나오라고 했다. 갈 데가 없으면 자기 호텔에 오라고 했다.

2019년 6월 15일 토요일 맑음 새벽 3시

잠을 못 잔 토요일이다. 몸의 긴장이 풀리지 않고, 마음이 답답하다. 시간을 보니 새벽 3시가 넘어가고 있다. 잠을 자고 싶다.

나는 왜 쉽게 잠이 들지 못할까. 내 마음이 힘들어서인 것 같다.

2019년 6월 16일 일요일 구름 맑음

그림을 그린 일요일이다. 내 힘든 마음을 그림으로 표현해 보고 싶었다. 하나의 이미지가 빛처럼 반짝하고 떠올랐다.

그 사람이 내 뒤에서 내 숨통을 조르고 있는 그림. 그만큼 나는 고통스럽다.

2019년 6월 17일 월요일 구름 조금

여름 방학이 한 달 남았다. 한 달만 잘 참자.

2019년 6월 18일 화요일 새벽 4시

정말 피곤한 화요일이다. 어제도 잠을 못 잤다. 무서운 악마에게 미친 듯이 쫓기는 꿈이었다. 어차피 붙잡힐 걸 알면서 발버둥 치는 내가 바보 같았다.

잠에서 깨고, 이상한 환청이 들렸다.

2019년 6월 19일 수요일 비

비가 오는 수요일이다. 오늘 수업을 하다가 내가 광대 같다는 생각이 들었다. 젓가락 끝에 얹어진 쟁반을 들고 유지하고 있는 광대. 눈은 피로해서 빨갛고, 이 쟁반을 들고 유지하는 게 너무 힘들다. 조금만 움직이면 쟁반이 다 떨어져 깨질 것만 같다. 광대는 웃고 있지만 사실 울고 있다.

2019년 6월 21일 금요일

어제 너무 바빠서 일기를 못 썼다. 오늘 방과후 보충수업이 있었다. 교무부장에게서 들은 이야기 때문에 오늘도 기분이 좋지 않았다. 나는 학생들에게 과제를 나눠주고, 책상에 기대어 팔짱을 끼고 있었다. 내가 그 사람에게 왜 그런 말을 들어야 하는지도 모르겠고, 그 사람이 왜 그런 말을 했는지도 이해가 가지 않았다. 나는 멍때린 채로 어제 들은 이야기를 되새겼다.

나는 그런 말을 듣고 참을 수밖에 없는 건가. 속에서 이유 모를 분노와 답답함이 솟구치는 것 같았다.

그때 영원이가 "선생님, 화났어요?"라고 물었다.

나는 그 물음에 정신을 차렸다. 그리고 책상에 앉은 영원이를 바라보며 말했다.

"아니, 선생님 화나지 않았어. 선생님 왜 화났다고 생각해?"

"선생님, 아까 눈이 무서웠어요. 우리 엄마랑 할머니가 저한테 혼낼 때의 표정 같았어요."

영원이가 약간 두려운 표정으로 나를 봤다.

이 아이는 내 눈빛만 보고도 내가 어떤 기분이지 어떤 생각을 하는지 다 알고 있다. 이 아이는 내 속마음을 꿰뚫어 보고 있는 것 같다. 학생들에게 들키고 싶지 않은 내 모습을 전부 들킨 것 같았다.

"선생님의 눈빛이 무서웠구나. 선생님도 섬에서 사는 게 가끔 힘들어서 그래. 내년에는 이 섬을 떠나고 싶다는 생각도 들어."

나는 애써 웃으며 솔직한 심정을 에둘러 표현했다.

"선생님, 내년에도 섬에 있어야 해요. 떠나시면 안 돼요."

영원이가 다급하게 말했다.

"왜?"

내가 물었다.

"저도 내년에 이 섬에 있을 거니까요."

영원이가 내 눈을 보며 말했다.

내가 섬에 있기를 간절히 바라는 누군가가 있었구나. 영원이는 내가 대답해 주기를 기다리는 눈치였다. 나는 조금 고민하다가 대답했다.

"알겠어. 내년에도 행복도에 있을게."

지키지 못할 약속을 한 기분이었다.

2019년 6월 22일 토요일

하루를 버텨내는 게 참 힘든 토요일이다. 이런 하루를 보내다 보면 20대가 나에게 다 허락된 삶일까, 의문이 든다. 허락된 삶이 아닐 것 같다는 대답이 돌아온다.

2019년 6월 24일 월요일 맑음

앞니가 두 개가 부러진 월요일이다. 어제 울다가 겨우 잠들었는데 새벽에 화장실이 가고 싶어서 깼다. 분명 난 변기에 앉았는데 그다음이 생각이 나지 않는다. 정신을 차렸을 때는 화장실 바닥에 쓰러져 있었다. 거울을 보니 입에서 피가 철철 흐르고 있었다. 앞니가 망치로 맞은 것처럼 아팠다. 하지만 쏟아지는 피곤을 이기지 못해 그냥 다시 잤다.

퇴근하고, 가고 싶었던 보건지소 치과를 이제야 처음으로 갔다. 이런 일로 오고 싶지 않았는데 의사 선생님이 내 부러진 앞니를 보시고는 보건지소에서는 레진으로 때우는 게 어려울 것 같다고 했다. 그리고 미세하게 부러져서 다른 치과에서 때운다고 한들 다시 떨어질 것 같다고 했다. 다행인 건 신경을 건들지 않아서 그대로 치아를 써도 괜찮을 거라고 얘기해주셨다. 그리고 스케일링을 직접 해주셨다.

내가 망가지고 있다.

2019년 6월 29일 토요일 새벽 5시

잠이 오지 않아서 뜬눈으로 밤을 보냈다. 이게 다 무드 등 때문이다. 무드 등이 살인자다. 난 이제 어디로 가야 할까. 잘 모르겠다. 하지만 나는 살고 싶다. 그리고 살고 싶다면 방법은 하나다. 이 섬을 떠나야 한다.

이 글쓰기도 내가 비참한 사람이라는 걸 확인하는 일이다. 더 우울해진다. 이렇게 우울의 바다에서 허우적거리다가 죽을 것 같다. 앞으로는 일기도 쓰지 말아야겠다.

상현은 일기장 뒷장을 넘긴다. 깨끗하다. 낙서나 무언가를 메모해 놓은 흔적도 없다. 6월 29일 토요일. 이날 이현은 마지막 일기를 썼다. 이 글이 이현의 마지막이다.

상현은 마음을 휘젓고 올라오려는 슬픔을 참는다. 그렇게 일기장을 덮고, 울지 않으려고 입술에 힘을 준다. 하지만 입꼬리는 슬픔의 무게를 이기지 못한다. 내려간 입꼬리 옆으로 눈물이 볼을 타고, 한두 방울 내려온다. 턱 끝에서 떨어진 눈물이 일기장 표지를 적신다.

상현은 일기장 표지를 한 번 쓰다듬고, 접은 무릎에 고개를 숙인다. 그리고 그 일기장을 마치 돌아오지 않는 이현을 만난 것처럼 소중하게 껴안는다. 상현의 웅크린 어깨가 숨죽여 삼킨 울음소리와 함께 흔들렸다.

<모든 것에는 대가가 있는 법>

다음 날, 토요일 상현은 오피스텔 원룸에 이삿짐을 옮기기 시작한다. 우울함을 빨리 털어내는 방법은 몸을 움직이는 것이다. 해 뜨는 아침부터 시작된 이사는 생각보다 일찍 끝났다. 학교 숙직 기사님이 짐을 옮기는 상현을 보고는 트럭에 이삿짐을 실어준 덕분이다.

상현은 급하게 필요한 물건만 이삿짐 상자에서 대충 꺼내두고 농협 마트로 향한다. 마트에서 잔치국수 재료와 소주 3병을 산다. 오늘은 소주를 마시고 싶은 그런 날이다. 상현은 오피스텔에 장바구니를 내려놓고, 잔치국수를 만들기 시작한다. 원룸 부엌은 요리하기에 깔끔했다. 인덕션에 냄비를 올리고, 멸치 육수를 낸다. 육수가 우러나오는 동안 계란 지단을 만들고, 호박을 잘게 썰어 볶는다. 콩나물을 씻어내고, 한 번 데쳐낸 콩나물을 그릇에 담아낸다. 비워진 냄비에 물을 넣고 끓으면 잔치국수 소면을 빙 둘러 넣는다.

소면이 삶아지는 동안 상현은 잔치국수 양념장을 만든다. 양념장에는 국간장, 다진 마늘, 참기름이 들어간다. 양념장을 완성하는 동안 냄비에 차가운 물을 한 번 더 넣는다. 소면이 더 탱탱해진다. 삶은 소면을 차가운 물에 두 손으로 박박 비벼 헹궈낸다.

상현은 작은 상을 펴고, 잔치국수 두 그릇을 올려놓는다. 수저도 소주잔도 2개씩이다. 하나는 침대 쪽에 하나는 그 맞은편에 놓는다. 상현은 냉장고에 넣어둔 소주병을 침대에 가지고 와 침대에 기대어 앉는다. 옆에는 이현의 보라색 일기장이 있다.

상현은 소주병을 몇 번 뒤흔들더니 소주잔들에 소주를 채운다.

“이현아, 맛있게 먹어.”

아무도 없는 맞은편 허공을 보며 상현이 말한다. 이현이 맞은편에 앉아있는 것처럼 상현은 맞은편 잔치국수에 양념장 한 스푼을 넣는다. 그리고 자기의 잔치국수 그릇에도 양념장을 넣어 간을 맞추고 한입 가득 입에 넣는다.

잔치국수는 이현이 가장 좋아하는 음식이었다. 고등학생 때였나, 이현이 몸살로 누워있던 날, 상현은 뭐라도 챙겨 먹어야 한다며 먹고 싶은 음식이 없냐며 물었다. 이현은 부산에서 자주 가는 식당의 잔치국수가 먹고 싶다고 했다. 그 이후로도 이현은 바쁜 임용고시 공부할 때 점심으로 잔치국수를 자주 먹었다.

행복도에서 근무하는 동안에도 힘들고 지치는 날이면 이현은 잔치국수가 먹고 싶었을 것이다. 일기장에 적은 것처럼. 하지만 행복도에는 잔치국수를 파는 식당도 없고, 이현은 잔치국수를 잘 만들지 못했다.

상현은 자신이 만든 잔치국수가 세상에서 제일 맛있었다. 소면과 함께 씹히는 아삭한 콩나물이 잔치국수를 더 맛있게 만들었다. 이 잔치국수를 이현과 같이 먹었다면 얼마나 좋았을까.

상현은 입안에 음식물을 씹으며 소주 한 잔을 털어 넣는다. 쓰디쓴 알코올이 식도를 태우며 내려가는 느낌에 얼굴이 찌푸려진다. 여전히 적응이 안 되는 소주다. 소주를 좋아하지 않는 상현이지만, 취하기에 소주만 한 것도 없다. 상현은 옆에 둔 보라색 일기장을 손으로 만져본다. 일기장이 이현이 남긴 유일한 유품이자 보고 싶은 사람을 만날 수 있는 유일한 통로다. 한 번 쓴 글은 지우지 않는 한 영원히 남는다.

상현은 소주잔을 채운다. 소주를 한가득 입에 넣는다. 그리고 잔치국수 국물을 호로록 마신다. 소주의 쓴맛이 육수의 시원함으로 열어진다. 상현은 그렇게 취하고 잠든다.

상현은 길을 걷고 있다. 안개가 자욱하다. 앞이 잘 안 보인다. 여기가 어디지? 상현은 딱딱한 모랫길을 걷고 있다. 상현은 주변을 둘러본다. 모랫길은 좁고 길쭉한 절벽이다. 상현은 두려움 없이 그 절벽 끝을 향해 걷는다. 절벽 끝에는 안개에 가려 무엇이 있는지 모른다.

짙은 안개가 조금씩 걷힌다. 열어지는 안개 사이로 한 여자가 보인다. 긴 생머리 여자가 절벽 끝에 서 있다. 여자는 상현에게 등을 보이고 절벽을 향해 있다. 여자의 흰 원피스가 바람에 흔들린다.

누구일까. 상현은 의문의 여자에게 다가간다. 여자가 고개를 돌려 상현을 본다. 여자는 화장기 없는 이현이다. 생기 없는 입술은 창백하다. 눈에는 초점이 없다. 표정도 없다.

이현은 다시 절벽을 향해 고개를 돌린다. 상현이 이현을 구하려고 팔을 뻗는 순간이다. 이현은 절벽 아래로 몸을 내던진다. 망설임은 없다.

"안 돼!!"

상현은 소리를 지른다.

꿈에서 깬다. 절벽에서 이현을 만난 건 꿈이었다. 상현은 한숨을 내쉰다. 손을 이마에 가져다 댄다. 이마가 땀으로 축축하다. 머리가 깨질 듯이 아프다.

"쾅, 쾅, 쾅, 쾅."

누군가가 집 문을 집요하게 두드린다. 평화로운 주말에 불청객이다. 상현은 특별한 약속이 없었다. 마음 같아서는 모른 척하고 싶다. 더 자고 싶다.

하지만 문 두드리는 소리는 집요하다. 불청객은 벨은 사용하지 않고, 일정한 간격으로 문을 두드리고 있다. 문을 열어 줘야 할 것 같다.

상현은 가까스로 눈을 뜬다. 침대 창문으로 햇살이 쏟아진다. 눈부시다. 해가 중천에 떴다. 침대에서 겨우 몸을 일으킨다. 상현은 흰 이불을 걷는다. 침대 밖으로 다리를 뺀다.

어제 마지막 기억은 술을 마시다가 취해서 침대에 몸을 뻗은 것이다. 침대 아래 바닥에는 어제의 잔해들이 그대로다. 소주병이 굴러다닌다. 먹다 남은 잔치국수가 분 채 그대로다. 상현은 지뢰를 피하는 군인처럼 잔해들을 피한다. 걸음은 비틀비틀 위태롭다. 잠에서 덜 깼다.

상현은 문을 연다. 문 앞에 이현이 서 있다. 아니, 이현과 똑같다. 상현은 혼란스럽다. 보라색 원피스를 입은 여자는 진한 색조 화장을 하고 있다. 입술은 빨간 립스틱을 발랐고, 눈은 진한 아이라인을 그렸다.

이현은 색조 화장을 하지 않았다. 선크림에 립밤만 바르고 다녔다. 그리고 원피스보다는 청바지에 티셔츠를 좋아했다.

여자가 입은 보라색 원피스도 이현의 스타일과 맞지 않는다.

하지만 눈앞의 여자가 화장을 지우고, 청바지를 입는다면 이현과 똑같을 것 같다. 옷과 화장은 얼마든지 바꾸고 꾸밀 수 있다. 여자의 본판은 이현이다.

상현은 자신이 헛것을 보고 있다고 느꼈다. 아직 잠에서 안 깼나 보다. 이건 분명 꿈이다. 상현은 손바닥으로 오른뺨을 세게 때린다. 아프다. 꿈이 아니다. 현실이다.

"왜 전화를 안 받으세요?"

여자는 긴 눈썹을 들어 올리며 묻는다. 화가 많이 난 것 같다.

"흠."

상현은 잠긴 목을 가다듬는다.

"죄송하지만, 누구시죠?"

"여기 건물주요. 입주 전에 월세 받으려고 어제부터 계속 전화했어요."

여자는 휴대폰을 보여준다.

상현은 그제야 계약 내용이 생각난다. 집주인은 이사 전에 첫 월세를 입금해달라고 했다.

"죄송합니다."

상현은 고개 숙여 사과한다.

"제가 어제 이사하느라 정신이 없었어요. 오늘 내로 입금

하겠습니다."

"네."

여자는 자리를 떠난다. 보라색 원피스가 펄럭인다.

문을 닫은 상현은 신발장에 서 있다. 멍하다. 숙취 때문인지 머리가 깨질 듯이 아프다. 언제였지. 이현을 닮은 사람을 본 게 처음이 아니다. 저 여자 어디선가 봤다. 상현은 잃어버린 기억의 조각을 찾으려고 애쓴다. 갯벌에서 맨손으로 조개를 캐는 것처럼 실마리를 찾는다.

초등학생 때였다. 고아원 놀이터에서 이현과 모래놀이를 하고 있었다. 검은 차가 들어왔고, 그 차에서 이현과 똑같이 생긴 여자애가 내렸다. 이현의 쌍둥이 언니라고 했다. 상현은 그날의 놀라움이 아직도 선명했다.

"그 언니 나랑 똑같이 생겼어."

대학생이었던 이현이 했던 말이다.

대학생 때도 이현은 그 쌍둥이 언니와 연락하며 지냈다. 이현이 교사가 된 뒤에도 연락하며 지냈다. 이현의 일기장에도 그렇게 적혀있었다. 그제야 서로 다른 조각들이 하나의 실로 꿰매진다.

상현은 침대 아래 일기장을 본다. 김나연이라는 여자를 다시 만나야 한다. 꼭 물어볼 것이 있다. 상현은 슬리퍼를 벗고 방에 들어온다. 어제의 잔해들 속에서 이현의 일기장을 챙긴다. 그리고 입고 자던 반바지에 흰 티 차림으로 건물 밖을 나선다.

상현은 나연을 찾기 위해 건물 주변을 둘러본다. 거리는 고요하다. 아무도 없다. 상현은 심장이 두근거린다. 새로운 동아줄이 될 수 있는 사람을 이렇게 놓칠 수는 없었다.

상현이 나연을 발견한 건 이사한 같은 건물 1층 카페였다. 통유리창에 비친 나연은 행복하게 빵을 고르고 있다. 상현은 망설임 없이 카페로 들어간다. 카페 안은 에어컨 바람으로 시원하다. 땀이 식는다. 조용한 음악도 흘러나온다.

상현은 나연에게 다가간다.

"저기, 아까 본 세입자인데 잠깐 이야기 좀 할 수 있을까요?"

상현은 한 마디 용기를 낸다.

두 사람은 창가 쪽 흰 테이블에 앉는다.

"김나연 씨 맞죠?"

상현이 여자에게 묻는다.

"네."

"제 기억이 맞았군요."

상현은 고개를 끄덕인다. 나연은 크루아상을 포크로 집고 칼로 썬다.

"네."

나연은 기계적으로 대답한다.

"전 이현이와 고아원에서 같이 자랐어요."

"알아요. 행복초등학교 기간제 교사로 온 것도요."

"어떻게 아는 거죠?"

상현은 약간 놀란다.

"세입자가 무슨 일을 하는지 정도는 알아야죠. 그래야 월세를 안정적으로 받죠. 그래서 하고 싶은 말이 뭔데요?"

나연은 단도직입적으로 묻는다.

"아, 이건 이현이 죽기 전 쓴 마지막 일기장입니다."

상현은 보라색 일기장을 내민다.

"이 일기장에 6월 14일 금요일에 당신과 연락했다는 글이 있어요."

"네, 이현이가 행복도에서 자꾸 이상한 일이 생긴다고 했어요."

나연이 말한다.

"그게 마지막 연락이었나요?"

"아니요, 그 뒤로 저희 부모님이 운영하는 호텔에도 찾아왔었어요."

"그때가 언제죠?"

"사건이 일어나기 전날이었으니 아마도 6월 29일이었을 거예요."

이현이 일기를 마지막으로 쓴 날이다.

"호텔에 찾아와서 이현이가 뭐라고 하던가요?"

"행복도를 떠나고 싶지만 떠나지 못하겠다고 했어요. 그리고 이 섬에 들어와서 그런 일이 생긴 거예요."

행복도를 떠나고 싶지만 떠나지 못하겠다. 그 말이 상현을 울컥하게 만든다.

"아까 하신 그 말 경찰서에 가서 한 번만 진술해 줄 수 있을까요? 부탁드립니다."

상현은 절박함에 나연의 반지 낀 손을 잡는다.

"제가 왜요?"

나연은 상현의 손을 쳐낸다.

"진술이 분명 사건 해결에 도움이 될 거예요."

"저는 사건 해결에 관심이 없어요. 일을 크게 만들고 싶지도 않고요. 제가 진술한다고 한들 죽은 사람이 살아 돌아오지도 않죠."

상현은 당황스럽다.

"행복도에는 왜 들어온 건가요?"

상현이 묻는다.

"보시다시피 건물 때문이죠. 몇 년 내로 행복도에 다리가 놓여 육지가 된다는 호재를 들었거든요. 여행객들이 더 늘어날 거고, 땅값이 올라갈 확률이 높죠. 제가 산 건물도 값이 올라갈 거고요."

나연은 들뜬 목소리로 말한다.

"정말 그 이유 때문입니까?"

"네, 제가 경찰서 가서 진술해 주면 그쪽이 저에게 뭘 해줄 수 있는데요?"

"네?"

예상치 못한 질문에 놀란 상현은 되묻는다.

"세상에는 공짜가 없고, 모든 것에는 대가가 있는 법이죠. 대충 얘기를 들어보니 제 죽은 동생 때문에 이 섬에 들어온 것 같은데요. 당신은 어떤 대가를 치를 수 있는 거죠?"

"제 모든 것이요."

상현이 울먹이며 말한다.

"제 모든 것을 내려놓고 지키고 싶은 사람이었어요. 거기에는 수단과 방법을 가리지 않을 겁니다."

상현은 수백 번 했던 결심을 말한다.

나연의 단단했던 눈빛이 조금 흔들린다. 상현은 그 흔들림을 놓치지 않는다.

"당신의 전 재산을 주면 진술을 생각해 볼게요."

나연이 인심 쓰듯 말한다.

"제 전 재산이요?"

상현은 잘못 들었나 싶어 다시 묻는다.

"돈에 미친 여자 같다는 눈으로 저를 보시는데 저는 돈밖에 모르는 사람이에요. 이 건물 매매하는 데에 돈이 많이 들었거든요."

"월세 보증금이 제 전 재산이에요."

상현이 말한다.

나연은 피식 웃는다.

"아, 만족할 만한 대가는 아니네요. 그럼 전 자리에서 일어나보겠습니다. 이번 달 월세 입금은 빠르면 빠를수록 좋아요."

나연은 자리에서 일어난다. 상현은 그 모습을 말없이 지켜본다. 상현의 유리잔 겉면에 물방울이 타고 흐른다.

<만취>

교무실 앞 복도. 호진은 복도 창가를 마주 보고 서 있다. 휴대폰으로 문자를 보내고 있다.

"선생님"

남자 목소리가 등 뒤에서 호진을 부른다.

"아, 깜짝이야."

호진은 소스라치게 놀란다. 뒤를 돌아본다. 이상현 선생님이다.

"오늘 퇴근하고 뭐 하세요?"

상현이 웃으며 묻는다.

"오늘 퇴근하고요?"

호진은 잠깐 생각한다.

"그냥 관사에 있을 것 같은데요."

"저랑 술 마시지 않으실래요?"

"술이요?"

호진은 되묻는다. 정말 의외다. 이상현 선생님이 술을 같이 마시자고 할지 생각 못 했다. 이상현 선생님은 첫 환영회 이후 회식에는 참석하지 않았다.

"네, 선생님과 예전부터 술을 한번 마시고 싶었어요."

"오, 좋죠. 그럼 어디서 마실까요?"

"선생님 관사에서 마셔도 괜찮을까요?"

"아, 제 관사요?"

호진은 자신의 관사에서 이상현 선생님과 술을 마시는 것도 의외다.

"네, 혹시 불편하시면..."

상현이 말끝을 흐린다.

"아, 괜찮아요. 제 관사에서 마시죠."

호진은 흔쾌히 수락한다.

"네, 그럼 퇴근하면 선생님 교실로 찾아갈게요."

"네 그때 뵙겠습니다."

상현은 가볍게 고개를 숙여 인사한다.

퇴근 시간, 두 사람은 교문 앞에서 만난다. 학교 근처 '행복 횟집'에서 모둠회를 산다. 술도 '행복 유통'에서 산다. 두 사람은 관사로 걸어간다. 상현은 회를, 호진은 술을 든다. 여름날은 밝다. 목에서 땀이 난다. 귀는 시끄럽다. 매미들이 목청껏 울어댄다. 누가 더 크게 울어대나 대회에 나온 것 같다.

두 사람은 좁은 신발장을 비집고 운동화를 벗는다. 호진은 관사에 들어오자마자 에어컨과 제습기를 켠다. 습하고 더운 것을 한 번에 해결하는 방법이다.

상현은 호진의 관사를 구경한다. 기본적인 방의 구조는 이현의 관사와 똑같다. 신발을 벗으면 바로 거실 겸 부엌이 있다. 한 계단을 더디고 올라가면 화장실이 있다. 그 코너를 돌고 문을 열면 방 하나가 전부다. 방 안에 가장 눈에 띄는 물건은 컴퓨터다. 방에서 책상 위에 컴퓨터가 가장 큰 물건이다.

두 사람은 저녁 먹을 준비를 한다. 방에 작은 나무 상을 펴고, 수저를 놓는다. 호진은 포장한 회의 비닐을 손톱으로 뜯어 벗긴다. 얇게 썰어진 모둠회가 영롱하다.

"저희 한잔할까요?"

상현이 술을 기다린 사람처럼 말한다.

"네."

호진이 소주잔을 들어 올린다. 상현은 소주가 회오리가 일어나게 돌려 섞고 병을 따서 호진의 소주잔에 따른다. 쪼르륵, 소리가 난다. 호진도 상현의 유리잔에 맥주를 따른다. 콸-콸- 소리가 난다.

둘은 짠, 건배하고, 술을 들이켠다. 상현은 맥주를 한 모금 마시고는 맥주잔을 내려놓는다.

"술을 잘 못 드시나 봐요?"

호진이 비워진 소주잔을 내려놓으며 묻는다.

"네, 소주 반 병정도 마시면 취하더라고요. 선생님은 주량이 어떻게 되세요?"

상현이 묻는다.

"저도 소주 한 병정도 마셔요."

호진이 말한다. 상현이 대답이 없다. 안 믿는 눈치다. 호진이 덧붙인다.

"농담이고요, 소주 두 병은 마시는 것 같아요."

"주량이 꽤 되네요. 술도 잘 드시고, 부러워요."

"근데 소주만 먹었을 때고, 소맥으로 마시면 평소 제 주량보다 빨리 취하더라고요. 저희 회도 한 점 먹어볼까요?"

호진이 젓가락을 들어 올려세우며 말한다. 둘은 투명한 광어회 한 점씩 들어 초장에 살짝 찍어 입에 넣는다.

"와, 진짜 맛있다. 왜 이제야 이걸 맛본 거지."

호진은 손으로 입을 가리며 감탄한다.

"여기 살면서 회를 한 번도 안 먹어봤어요?"

상현이 젓가락을 내려놓으며 묻는다.

"네, 사람들이 섬에 살면 회만 먹고, 낚시만 하고 사는 줄 아는데 아직 낚시해 본 적도 없어요. 그리고 회는 인천 육지에서 먹는 게 더 싸요. 여기 특산물이 뭔지 아세요?"

"아니요, 뭔데요?"

"단호박이요."

"아, 처음 알았어요."

"네, 그래서 학교 근처에 있는 행복 카페에서 대표 메뉴가 단호박 식혜, 단호박 라떼잖아요."

"그렇군요. 그런 의미에서 짠, 할까요?"

상현이 맥주잔을 들어 올린다. 모든 대화의 말미를 술로 끝내려고 노력한다. 건배는 그렇게 두 번이 되고, 세 번이 되고, 더해지는 건배만큼 분위기는 무르익는다.

"선생님은 퇴근하면 뭐 하세요?"

호진은 자기 잔을 채우며 묻는다.

"저는 오피스텔에 있어요."

상현은 최대한 무난한 대답을 하려고 한다. 호진의 얼굴이 술기운에 붉다. 호진은 잔을 채우다 말고, 소주병을 흔든다. 잔이 절반 채 채워지지 않았다.

"어? 술이 없네."

호진은 빈 소주병을 확인하고 두 번째 소주병을 따른다.

"저는 게임 해요. 퇴근하면 진짜 할 게 없더라고요. 선생님은 게임 하시는 거 있어요?"

호진은 새 소주병을 흔들며 말한다.

"아니요."

상현이 대답한다.

"다음에 심심하면 저랑 같이 게임 해요."

"좋죠, 저 궁금한 게 있는데..."

상현은 대화 주제를 바꾼다.

"뭔데요? 뭐든 물어보세요."

"선생님은 왜 선생님이 되신 거예요?"

상현이 진지하게 묻는다.

"저요?"

호진은 피식 웃는다.

"안정적인 일을 하고 싶었거든요. 아이들이 좋다기보다는 안 잘리고 60세까지 일할 수 있고, 방학도 있고, 4시 30분이면 퇴근도 할 수 있고, 월급도 꼬박꼬박 나오잖아요. 그런 직업 많지 않죠."

호진의 발음은 약간 풀려 있지만, 말을 이어간다.

"근데 오늘 월급날이잖아요? 월급을 보니까 현타가 와요. 아, 원래 교사 월급이 쥐꼬리만 한 건 알고 있었는데 매일 6

시간 수업하고, 방과 후에도 방과 후 수업에 온갖 잡무 보고 받는 돈이라고 생각하면 힘 빠져요. 인천에 전담 교사 없는 학교는 행복초등학교밖에 없을걸요? 도시학교는 강사며 전담 교사며 많은데 여긴 섬이라고 아무것도 없잖아요. 근데 섬 수당은 4만원이에요. 이러니 기간제 교사는 더더욱 안 오죠. 행복도까지 오신 선생님이 정말 대단하세요."

상현을 바라보는 호진의 눈도 조금 풀려 있다.

"이 섬에서 꼭 해야 할 일이 있거든요."

상현은 흐릿한 호진의 눈을 똑바로 바라보며 말한다.

"무슨 일인데요?"

호진도 상현을 보며 묻는다. 상현은 시선을 바닥으로 피하며 대답하지 않는다. 방바닥에 검은 점이 움직이고 있다. 검은 점은 7쌍의 다리를 부지런히 움직여 나아 가는 공벌레다.

"저 하나 고백해도 될까요?"

호진이 묻는다.

"뭔데요?"

상현도 묻는다.

"기분 나쁘게 듣지는 마세요. 처음 선생님 봤을 때 조금 무서웠어요. 전부 다 검은 옷에 과묵하셔서요. 마치 저승사자 같다고 하나요? 정이현 선생님이 죽고 나서 그 자리에 기간제 교사로 온 것도 조금 섬뜩했어요."

“그 전임자 선생님에게 그런 일이 있는 건 행복도에 들어오고 나서 알았어요.”

상현은 차분하게 말한다. 그리고 상추 한 장을 집어 올려 상추 위에 회 두 점과 쌈장 조금, 마늘 한 조각을 올려 쌈을 싼다.

“이런 자리로 오해도 풀 수 있고 좋네요.”

상현은 쌈을 호진에게 내민다. 호진은 입을 벌려 쌈을 받는다. 상추 쌈이 입안 가득 채운다. 우걱우걱 씹어 먹는다. 상현은 호진의 소주잔을 채운다. 호진은 소주잔을 들어 내민다. 둘은 또 건배하고 술을 마신다.

빨리 취해, 빨리 취해서 인사불성이 되란 말이야. 상현은 맥주를 마시며 속으로 외친다. 그리고 소주를 한 번에 마시는 호진을 곁눈질로 지켜본다. 두 번째 소주병이 비워져 가고 있다. 이제 소주는 한 병밖에 남지 않았는데 김호진이 취하지 않으면 어떡하지, 불안하다. 상현은 머리를 굴린다.

“선생님, 저 맥주를 다 못 마시겠네요.”

상현이 미끼를 던진다.

“아, 그럼 남기면 되죠.”

호진이 3분의 1 정도 남은 맥주병을 본다.

“아, 남기면 아까운데 소맥으로 같이 마실까요?”

상현이 초승달 같은 눈웃음을 보이며 묻는다.

"같이요? 좋죠!"

호진이 미끼를 문다. 상현은 열심히 소맥을 만든다.

"저도 형님 쌈 싸드리겠습니다."

상현의 호칭은 선생님에서 어느 순간 자연스럽게 형님으로 바뀌어 있다. 호진은 젓가락을 올려 깻잎에 회 두 점과 쌈장을 올린 쌈을 상현에게 내민다. 내민 호진의 손등 위로 손톱만 한 거미가 지나간다.

"윽."

상현은 거미를 손으로 털어낸다. 거미는 상위에 떨어져 잠시 꿈틀대다가 재빠르게 움직여 상 아래로 달아난다. 상현은 호진의 쌈을 받아먹는다. 회와 깻잎의 조화가 좋다. 상현은 소맥 잔을 들어 올린다. 두 사람은 소맥을 마신다.

상현은 곁눈질로 호진을 본다. 호진은 벌컥벌컥 소맥을 마시고 있다. 이 소맥이 김호진을 취하게 만들어 주기를, 상현은 속으로 기도하며 입을 적실만큼만 소맥을 마신다.

"벌레 때문에 힘들지 않으세요?"

상현은 조금 취한 척하며 묻는다.

"힘들죠. 하지만 부처님 말씀 중에 이런 말이 이짜나요. 살생을 하지 마라고, 그래서 버레도 주기지 아나요. 여기서 사라보니 저...저긍....저긍된... 것도 있어요. 아, 왜 바르미 아돼!"

호진은 자기 뺨을 가볍게 찰싹 때린다.

"취하신 거 아니에요?"

상현이 걱정스럽게 묻는다.

"아,, 아니, 안 취해써요... 회도 남았고, 혀니미랑 수를 더 마셔야 되는 데..."

호진은 졸린 눈을 겨우 감았다 뜬다.

"저 가짜기 잠들 수더 이써요."

호진의 눈이 계속 감겨간다. 눈이 무겁다.

"괜찮아요, 내일 주말이에요. 벌레도 안 죽인다라..."

상현은 호진의 말을 곱씹는다. 눈이 감긴 호진은 아무 대답이 없다. 그리고 바닥 옆으로 툭 쓰러진다.

"선생님."

상현이 작은 목소리로 속삭인다. 상현은 호진의 얼굴 앞에서 손을 움직여 본다. 호진은 깊은 잠에 빠졌다. 술 한 번 먹자는 제안에 경계심 없이 술을 마신 호진이 단순하다고 상현은 생각한다.

증거를 찾아야 한다. 이 생각이 상현의 머릿속으로 가득 찬다. 책상 위에 있는 호진의 휴대폰을 켠다. 휴대폰 화면은 7시 10분임을 알려주고 있고, 지문 잠금이 되어 있다. 호진에게 들키지 않고, 지문 잠금을 풀어야 한다.

상현은 반쯤 취한 상태로 머리를 굴린다. 어떤 손가락 지문으로 잠금을 해놓았을까. 오른손잡이인 호진은 보통 오른손 지문으로 잠금을 풀 테다. 잠금을 풀기에 가장 편한 손가락은 검지다. 상현은 잠든 호진의 검지를 휴대폰 뒤에 조용히 갖다 댄다. 잠금은 운이 좋게 한 번에 풀린다. 영상이든 사진이든 문자든 사건에 도움이 되는 것이라면 뭐든 모아야 한다. 이게 내가 행복도에 들어온 이유이자 못 먹는 술을 마신 이유니까.

<일기장 도둑>

오피스텔 303호 문은 굳게 닫혀있다. 그 문 앞에서 한 남자가 주변을 두리번거리며 나타난다. 남자의 정체가 누구인지 한 번에 알아보기는 힘들다. 검은 모자를 쓰고, 검은 마스크로 얼굴을 가렸다. 다른 옷도 다 검은색이다. 검은 긴 바지에 검은 티셔츠를 입고, 검은 운동화를 신었다. 맨 가방도 검은색이다. 특이한 건 손에는 흰 장갑을 끼고 있다.

남자는 문 앞에서 서성거리며 CCTV가 없는 것과 지나가는 사람이 없는지 확인한다. 그리고 흰 장갑을 낀 손가락으로 303호 도어락 비밀번호를 누른다.

삐-삐-삐-.

도어락이 경고음을 지른다. 문을 열어줄 수 없단다. 남자는 옆 머리를 긁적인다. 비밀번호를 다시 눌러본다. 이번엔 다른 번호다.

삐-삐-삐.

도어락이 경고음을 또 지른다. 문을 절대 못 열어준단다. 남자도 비밀번호를 모르는 눈치다. 하지만 포기할 수 없다. 다른 번호를 누른다.

띠-리-링-.

아까와는 다른 맑은소리가 난다. 남자는 소리 없는 환호를 부르며 문손잡이를 돌린다. 문은 스르르, 경계심을 풀고, 남자를 맞이한다. 남자는 신발장을 지나 부엌으로 들어선다. 벗지 않는 운동화는 바닥에 자국을 남기지 않는다. 이날을 위한 새 신발이다. 남자는 걸음에 망설임이 없다. 부엌을 지나 중문을 옆으로 민다. 방에는 침대 맞은편 화장대가 눈에 띈다. 고급스러운 화장대는 깔끔하다. 화장대 위에는 화장품 몇 개가 서 있다. 남자는 화장대로 걸어가 서랍을 연다. 서랍 안도 작은 상자들로 깔끔하다. 남자는 서랍 안을 거침없이 뒤진다. 가장 큰 상자에는 다이아몬드 목걸이가 있다. 정사각형 보석함에는 루비 반지가 빛나고 있다. 한눈에 봐도 보기 드문 반지다.

희귀한 보석들을 남자는 화장대 위에 올려놓는다. 가방에 챙겨 넣지 않는다. 액세서리는 남자의 관심사가 아니다. 남자가 찾고 있는 건 값비싼 물건이 아닌 사건 해결을 위한 증거다.

이번에는 화장대 옆에 있는 옷장으로 걸어간다. 옷장 문을 열고 옷걸이에 걸린 옷 하나하나를 넘기며 확인한다. 증거가 될 만한 옷들은 없다. 옷 아래 개인 얇은 이불들을 꺼내 침대 위에 펼친다. 이불은 이불일 뿐이다. 이불을 털어도 이불 사이에 뭐가 안 나온다. 숨긴 물건이 없다.

옷 서랍도 연다. 잘 구분되어 접힌 옷들과 속옷들을 뒤진다. 남자는 바지와 니트들을 바닥에 내던진다. 마구잡이식이다. 남자가 찾고 있는 옷은 없다. 증거가 될 만한 옷들이 아니다.

남자는 모자를 조금 들어 올린다. 그리고 한숨을 내쉰다. 다시 한번 방안을 둘러본다. 침대, 화장대, 옷장. 아직 열어보지 않은 가구는 침대 옆 3단 서랍과 신발장, 싱크대 아래 수납장이다. 다 뒤질 수 있다면 좋겠지만, 시간이 많지 않다. 우선순위를 정해야 한다. 만약 소중한 것을 이곳에 숨긴다면 나는 어디에 숨겼을까.

남자는 3단 서랍부터 연다. 맨 위 첫 번째 서랍에는 겨울옷과 응급처치함이 있다. 별 특별할 게 없다. 남자는 허리를 숙여 두 번째 서랍을 연다. 서랍은 입을 굳게 닫았다. 안 열린다. 맨 밑 서랍도 쭈그려 앉아 연다. 세 번째 서랍도 입이 무겁다. 남자는 서랍 손잡이 옆에 있는 열쇠 구멍을 본다. 집

주인은 열쇠로 서랍을 잠그고 이 집을 떠났다.

그 열쇠가 어디 갔을까. 남자는 초조해진다. 그 열쇠를 집 주인이 챙겨나갔으면 끝이다. 아니다, 그렇지 않을 수도 있다. 이 집 어딘가에 열쇠를 숨겼다면. 남자는 자리에서 일어나 신발장으로 걸어간다. 신발장 수납에는 우산 하나와 화려한 구두들이 빼곡하다. 구두들은 굽이 높다고 서로 자랑한다. 그리고 맨 아래 흰 운동화 한 켤레가 미운 오리 새끼처럼 구석 자리를 차지하고 있다. 조금 이상하다. 김나연은 볼 때마다 하이힐만 신고 다녔다.

남자는 운동화 안쪽에 손을 넣어 살핀다. 왼쪽 신발 안쪽에 뭐가 손에 잡힌다. 손에 쥐어 나오는 건 은색 열쇠다. 남자는 열쇠를 손에 쥔 채 소리 없는 쾌재를 부른다. 마치 올림픽에서 금메달을 딴 선수 같다. 하지만 아직 기뻐하기는 이르다. 이 열쇠가 서랍 열쇠인지 확인해야 한다.

남자는 조심스럽게 서랍 열쇠 구멍에 열쇠를 넣어 돌린다. 드디어 서랍이 열린다. 두 번째 서랍에는 스케치북과 붓, 팔레트, 물감이 있다. 예상치 못한 물건이다. 김나연이 그림을 취미로 그리는 사람이었나. 자기 입으로 돈밖에 모른다고 했던 여자다.

세 번째 서랍은 끈으로 묶인 상자와 스프링 노트들이 있다. 남자는 끈을 풀고, 상자를 연다. 분해된 무드 등이다. 남자가 찾던 물건이다. 남자는 무드 등이 담긴 상자를 빠르게 가방에 챙겨 넣고, 스프링 노트를 훑어 읽는다. 문밖에서 발소리가 들린다. 시간이 없다. 집주인이 언제 돌아올지 남자는 모른다. 노트들도 가방에 빠르게 챙겨 넣는다. 침대 아래와 부엌 화장실은 보지 못했으나 이 정도면 증거는 충분하다. 남자는 엉망이 된 303호를 떠난다.

남자가 303호를 휩쓸고 지나간 그다음 날, 집주인이 오후 배를 타고 돌아온다. 곧 해가질 시간이다. 나연은 비밀번호를 누르고, 집에 들어간다. 핸드백을 방바닥에 내던진다. 왼발을 들어 하이힐 구두를 벗어 던진다. 발가락이 산산조각난 것 같다. 망치로 때려 발가락을 부순 것 같다. 나연은 절뚝거리며 자리에 앉는다. 그리고 오른발 하이힐을 가까스로 벗는다. 하이힐은 적응하래야 할 수 없다. 나연은 손으로 욱신거리는 종아리와 발을 부드럽게 주무른다. 생전 운동화만 신는 사람이 일주일 넘게 높은 구두를 신고 다녔다. 발이 아픈 건 당연한 일이다. 나연은 내던진 핸드백을 다시 손에 쥔다. 그리고 없는 힘을 쥐어 짜내 자리에서 일어난다. 얼른 씻고, 침대에 눕고 싶다.

나연은 쉬고 싶다는 마음으로 반쯤 열린 중문을 확 연다. 방이 엉망이었다. 나연은 쉴 생각이 사라지고, 정신이 확 든다. 바닥에는 옷들이 널브러지고, 서랍들은 마구 열려 있다. 행복도를 떠난 사이에 누군가 이 집에 와서 물건을 뒤졌다.

그 누군가가 아직도 여기에 있는 걸까. 나연은 긴장하고 발코니 문을 연다. 발코니 창문은 잠겨 있고, 발코니 공간은 달라진 것 없이 그대로다. 발코니 외에 사람이 숨을 공간은 다 확인한다. 화장실 문도 연다. 그대로다. 부엌 개수대에도 사람은 없다. 혹시 침대 밑? 바닥에 얼굴을 대고 사람을 찾는다. 없다.

불청객이 집에 왔었지만, 지금은 없다. 그리고 발코니가 아닌 비밀번호를 누르고 이 집에 들어왔다. 한숨이 나온다. 어질러진 방만 봐도 어떤 물건을 찾으러 온 것 같다. 그게 아니라면 나를 향한 단순한 경고일까. 도대체 누가?

나연은 화장대에 사라진 귀중품이 있는지 확인한다. 화장품이며 반지 목걸이는 사라진 게 없다. 도둑은 상자를 꺼내봤지만, 귀중품은 두고 갔다. 귀중품을 훔쳐 갈 수 있었지만 훔쳐 가지 않았다. 범인이 찾는 물건이 귀중품이 아니라 다른 것이었다면.

나연은 열쇠 꽂힌 서랍에 사라진 물건은 있는지 확인한다. 두 번째 서랍이 텅 비어있다. 내 일기장과 무드 등. 범인이 다른 곳에 두고 갔을까. 이불 더미와 옷더미도 뒤진다. 없다. 범인은 무드 등과 일기장들을 가져갔다. 일기장 내용을 지금쯤 다 읽었을 수도 있다. 나연은 얼굴이 화끈거린다. 다른 누군가가 내 일기장을 읽었다는 건 속마음 밑바닥까지 다 들키는 일이다.

도대체 누가 내 일기장을 가져갔을까. 범인은 신발장 운동화에 있던 서랍 열쇠를 찾았다. 열쇠를 들고 다니지 않았던 건 교실 열쇠를 교실 신발장 신발 안에 두고 다니던 버릇 때문이었다. 나연은 자신이 아는 행복도 사람들을 머릿속에 최대한 떠올린다. 내가 303호에 산다는 사실을 알고 있는 행복도 사람은 많지 않다. 범인은 내가 303호에 산다는 걸 아는 사람이다. 집 비밀번호가 내 생일인 걸 맞췄고, 귀중품을 노리지 않고 사건과 관련된 증거가 될 만한 물건들만 가지고 갔다. 범인은 높은 확률로 내 일기장을 읽었을 것이다. 하지만 나를 찾아오거나 나에게 위해를 가하지 않았다. 꽤 많은 '행복도 사람들'이 머릿속에서 지워진다.

머릿속에 한 사람이 남는다. 그 사람은 죽은 동생을 지키기 위해서라면 수단과 방법을 가리지 않겠다고 말했다. 세상에는 비밀이 없고, 언젠가 들킬 일이라면 다른 사람이 아니라 그 사람에게 들킨 건 다행일지도 모른다.

나연은 서랍 열쇠를 빼서 흰 코트 주머니에 넣는다. 코트를 벗어 대충 침대 위에 던진다. 코트처럼 자신도 침대에 내던져 눕는다. 그리고 눈을 감는다. 하루의 피로가 한꺼번에 몰려온다. 다른 사람으로 산다는 건 참 힘든 일이다.

나연은 이번 주에 호텔 행사를 진행했다. 처음 보는 사람들을 아는 척하는 것도 조마조마했고, 왼손으로 젓가락질을 못 해 포크를 쓴 것도 곤욕이었다. 호텔을 경영하고 싶은 마음도 잘할 수 있겠다는 마음도 들지 않았다. 그리고 행사에서 한 액세서리는 최악이었다. 팔찌는 족쇄같이 거슬렸고, 귀걸이는 무거워 귀를 아프게 했다. 두껍게 칠한 화려한 화장도 가면을 덮은 것처럼 답답했다. 언제까지 이 가면을 쓰고 살 수 있을까. 액세서리도 화장도 자신에게는 맞지 않는 일이다. 나연은 화장도 못 지우고, 그대로 잠에 빠져든다. 불면증을 앓는 사람 같지 않다. 나연은 다시는 깨어나지 않았으면 좋겠다고 생각한다. 행복초등학교 관사에서 비바람이 몰아치던 날처럼. 꿈속에서는 다른 사람이 되기 위해 애쓸 필요가 없다.

<공무원 범죄 예방 연수>

10월 교직원 회의가 열린다. 전체 교직원이 교무실에 모인다. 교무실 창문 밖으로 쓸쓸한 단풍이 떨어지고 있다. 회의 테이블에는 군고구마가 놓여 있다. 학교 텃밭에서 캔 단단한 고구마였다. 교무부장이 고구마를 집어 두 개로 쪼갠다. 고구마에서 뜨끈한 연기가 솔솔 나온다. 교무부장은 고구마 껍질을 까서 한 모금 입에 넣는다.

호진은 준비한 운동회 계획서를 각자리 앞에 나눠준다. 천장에 달린 난방기는 따뜻하고 건조한 바람을 내보낸다. 보건교사는 난방이 부족했는지 두툼한 카디건을 여민다. 이때 상현이 교무실로 들어온다. 2학년 담임 교사와 보건교사 사이에 앉는다.

돋보기안경을 쓴 교감이 두툼한 업무수첩을 펼친다.

"지금부터 10월 교직원 회의를 시작하겠습니다. 순서는 행복 한마음 운동회와 공무원 범죄 예방 연수입니다. 먼저 운동회 계획부터 말씀 부탁드립니다."

교감은 호진이 준 운동회 계획서를 들어 올린다.

"네, 운동회는 10월 25일 금요일 오전 9시에 시작할 예정입니다."

호진이 말한다. 모두의 눈길이 종이로 향한다.

"전교생이 모여 개회사와 준비 운동을 하고, 스테이션 형식으로 활동을 나눠 학년 군으로 경쟁 활동을 하면 어떨까 합니다. 활동은 판 뒤집기, 2인-3각, 에어 보트 레이스 등이 있습니다. 활동은 10시 40분에 마칠 예정입니다.

그 이후 개인 달리기, 줄다리기, 계주 달리기를 하고, 간단한 레크리에이션 후 마칠 계획입니다. 점심 급식은 12시에 운동회 전체 일정이 끝나고 먹습니다."

"운동회 활동이 알차고 좋은데요? 다양한 활동을 하면서도 운동회의 꽃인 계주나 줄다리기도 하는 것이 마음에 듭니다."

최 부장이 흡족해하며 말한다.

"점심을 먹은 뒤에는 교육과정이 어떻게 운영되는 거지요?"

교감이 날카롭게 묻는다.

"4교시 운영 후 점심을 먹고 하교할 예정입니다."

운동회 담당 부장인 하 부장이 말한다.

"1년에 한 번 있는 운동회인데 오전에 끝나면 학생, 학부모님이 많이 아쉬워하지 않을까요?"

교감이 교직원들을 둘러보며 묻는다.

"다른 학교에서도 다 하는 뻔한 운동회는 하지 맙시다. 여기는 섬이고, 행복도만의 특별한 운동회 활동 좀 같이 생각해 보죠. 점심 먹고 오후 활동으로요."

교감은 '행복도만의 특별한' 에 힘을 주어 말한다. 교무실은 조용해진다. 입을 연 건 교무부장이다.

"행복도 하면 소나무 숲이고, 소나무 숲 하면 행복도죠. 소나무 숲에서 담력 활동을 하면 좋겠습니다. 조를 나눠서 미션 풀기 게임을 해보는 건 어떤가요? 귀신의 집처럼 탈출 활동도 재밌을 것 같아요."

"귀신의 집이요? 점심 먹고 나면 대낮일 텐데요."

하 부장이 고개를 젓는다.

"대낮이어도 아이들은 좋아할 거예요. 아니면 지난 보름달 행사처럼 늦은 밤까지 해도 좋죠."

호진이 말한다. 보름달 행사는 교감이 작년에 벌인 행사다. 전교생과 교직원이 '지금도'에 가서 같이 보름달을 구경했다.

"행복도 전체를 둘러싸고 있는 건 넓고 푸른 바다잖아

요. 10월이라 날씨가 쌀쌀하지만, 해변에서 모래 활동이나 수상 활동도 좋지 않나요?"

최 부장이 제안한다.

"부장님, 수영할 줄 아세요?"

하 부장이 갑자기 묻는다.

"아니요, 못해요. 그건 왜요?"

최 부장이 되묻는다.

"수상 활동하다가 학생이 물에 빠지면 우리가 구해줘야죠. 참고로 저도 수영 못해요."

하 부장이 말한다.

"저도 매주 타는 배가 침몰하면 의지할 데가 구명조끼밖에 없어요."

교무부장이 말한다.

"수영할 줄 아는 선생님 계십니까?"

교감이 묻는다. 조용하다. 아무도 손을 안 든다.

"하 부장님 생각은 어떻습니까? 행복도만의 특별한 교육활동이요."

교감이 묻는다.

"저는 허리가 안 좋아서"

하 부장이 허리를 짚는다.

"매일 아침 행복도 둘레기를 걷습니다. 매일 걷다 보니 허리 통증이 나았어요. 상쾌한 공기도 마시니 기분이 좋더군요. 의사들이 걷기나 산책만큼 좋은 유산소 운동이 없다고 하죠. 학생들과 함께 행복도 둘레길을 걸어보면 좋겠습니다. '내 고장 바로 알기' 일환으로도 필요한 교육이라고 생각합니다."

"의견 주신 거 감사합니다. 다른 선생님들은 의견 없으신가요?"

교감이 의견을 안 낸 교사들을 향해 묻는다.

"네."

보건교사가 말한다. 상현은 계획서에 무언가를 끄적이고 있다. 어떤 운동회를 하는지 큰 관심이 없다. 2학년 담임인 유나는 말이 없다. 얼어있는 것 같기도 하다.

"행복도 숲에서 담력 훈련, 수상 활동, 둘레길 걷기 등 의견을 내주셨는데 아까 선생님 중 수영할 수 있는 분이 없다고 하셨으니..."

교감은 종이에 볼펜으로 끄적인다.

"수상 활동은 제외하고, 점심 먹고 행복도 둘레길을 걷고요. 저녁 먹고 행복도 숲에서 담력 훈련을 하죠."

교감이 여러 의견을 종합해서 결정한다.

"저녁은 급식이 없는데 어떻게 하죠?"

교무부장이 묻는다.

"선생님들이 해주시면 어떨까요? 지난번 보름달 행사 때

만든 밥버거를 아이들이 되게 좋아하던데요."

"아, 아니..."

선생님들의 말문이 막힌다.

"밥버거가 뚝딱, 만들어지지 않아요. 일주일 전부터 고기 저미고, 반죽해서 하나하나 고기를 구워야 해요. 밥이며 상추며 다 넣고 포장도 해야 하고요. 그 노고를 또 하라는 거예요?"

교무부장이 따지듯 묻는다.

"저도 같이 돕죠. 전교생이 서른 몇 명인데 그거 만드는 게 그렇게 어려운 일도 아닙니다. 자, 다음으로 공무원 범죄 예방 연수를 시작하겠습니다."

교감은 황급히 말을 돌린다. 범죄 예방 연수 종이도 돌린다. 연수 맨 위 제목은 음주 운전 등 공무원 범죄 예방 안내자료다.

"아, 이런 걸 누가 몰라요. 죄짓지 말고, 바르게 살라는 거 아닙니까."

최 부장이 다 안다는 듯이 말한다.

"교육청에서 연말을 앞두고 공무원 복무에 대해 신경 쓰라고 공문이 오고 있어요. 신규 선생님들도 계시니 모두 모른다고 생각하고 연수 시작하겠습니다."

교감은 황급히 연수 종이에 눈길을 돌린다.

"공무원 범죄 수사 과정은 다음과 같습니다. 공무원이 범죄를 저지르고, 신고가 접수되면 수사기관에서 수사가 시작되었다고 학교로 통보가 옵니다. 수사 과정이 끝나고 처분이 다시 교육청 감사실로 통보가 되고 교육청 차원에서 다시 징계 처분이 이루어집니다. 다음 쪽 넘기겠습니다."

다 같이 종이를 뒤로 넘긴다.

"공무원 범죄 주요 유형으로는 음주 운전, 교통사고, 아동 학대, 성 사안 등 여러 가지가 있어요. 하지만 가장 중요한 건 음주 운전입니다. 한 번의 음주 운전도 가볍게는 정직에서 감봉, 중하게는 파면에서 해임까지 갈 수 있는 범죄입니다. 다음 쪽 넘기겠습니다."

다 같이 종이를 넘긴다.

"또한 음주 운전 방조죄로 음주 운전을 할 것을 알면서도 차 열쇠를 제공한 자, 음주 운전을 하도록 권유 및 독려한 동승자, 부하직원의 음주 운전을 방치한 상사, 대리운전이 어려운 지역에서 술을 판매한 업주도 같이 처벌받을 수 있습니다."

"어차피 행복도에는 CCTV도 없고, 2달에 한 번 단속하는 정도예요."

교무부장이 말한다.

"그래도 사람 일은 모르는 거니 조심합시다."

교감은 연수를 이어간다.

“음주 운전 다음으로 성희롱, 성추행, 성매매 등은 성 사안으로 처벌될 수 있습니다. 교사가 학생에게 하는 성희롱, 성추행, 성폭행은 아동 학대로 처벌받을 수 있습니다. 또한 음주 운전을 제외한 신호위반, 보행자 보호 위반, 중앙선 침범 등 12대 중과실도 징계받을 수 있습니다. 이상입니다.”

“이런 간단한 연수를 종이까지 뽑는 게 종이 낭비, 잉크 낭비네요.”

하 부장이 말한다.

“낭비가 아니고, 꼭 필요한 일입니다. 아는 것과 실천하는 것은 완전히 다른 일이에요. 다시 되새깁시다. 이렇게 당부하는 이유 중 하나는 오늘 경찰에서 연락이 왔습니다. 정이현 선생님의 사망 원인을 타살로 보고 수사하겠답니다.”

연수 종이만 보던 상현은 고개를 든다. 교감의 말을 더 집중해서 듣는다.

“사고나 자살이 아니라 누군가가 의도적으로 정 선생님을 죽이기라도 했다는 건가요?”

교무부장이 묻는다.

“경찰의 생각은 그렇습니다.”

“우리 중에 뭐 그 정 선생님을 주...죽인 범인이라도 있다는 거예요?”

하 부장이 말을 더듬는다.

"우리를 살인자로 보는 거야, 뭐야."

최 부장이 궁시렁거린다.

"범인을 찾을 만한 확실한 증거가 있다는 말은 없었습니다. 그러니 다시 추가 조사를 받게 될 수도 있습니다. 다들 말조심할 필요가 있어요. 행복도는 학교 근처가 아니면 가로등도 드문 섬입니다. 해지면 밖에 돌아다니지 마시고요. 알고 지내든 처음 보든 상관없이 행복도 주민이면 다 조심하세요. 교감으로서 할 수 있는 마지막 당부입니다. 이상으로 회의를 마칩니다."

교감은 업무용 수첩과 연수 자료를 정리한다. 10월 회의가 싸늘하게 끝난다.

<의심>

교무부장의 관사 문은 활짝 열려 있다. 교무부장은 저녁 준비에 바쁘다. 냄비에 물을 붓고, 가스레인지 위에 올린다. 육수용 멸치를 한 줌 쥐어 넣는다. 된장을 크게 두 숟갈을 퍼 냄비에 잘 푼다. 냄비 옆에는 압력밥솥이 수증기를 뿜뿜 뿜어 낸다. 밥이 잘 되어가고 있다.

이때 호진이 비닐봉지를 들고 관사 안으로 들어온다. 비닐봉지 안에는 방금 캔 냉이들이 있다. 학교 텃밭에 캐고 한 번 씻은 것들이다. 호진은 냉이를 캐는 방법도 교무부장에게 가르침을 받았다. 봉지를 받은 교무부장은 냉이를 한 번 더 꼼꼼하게 씻는다.

된장국이 보글보글 끓기 시작한다. 교무부장은 두부를 먹기 좋게 자르고, 파를 송송 썬다. 그리고 된장국에 냉이와 파와 두부를 다 같이 넣는다.

이제 된장찌개가 충분히 팔팔 끓을 때까지 기다리면 된다. 교무부장은 방과 부엌 사이의 중문을 벌컥 민다. 방에는 하 부장, 최 부장. 호진이 각자 휴대폰 중이다. 상 위에는 각자 먹을 그릇과 수저, 술잔이 놓여 있다.

"밥은 나 혼자만 차리냐!!"

앞치마를 두른 교무부장이 소리를 지른다.

세 사람은 그제야 일사불란하게 움직인다. 하 부장이 낑낑대며 압력밥솥을 옮긴다. 최 부장이 냉장고에서 양념에 무친 꼬막과 양념장을 꺼낸 그릇에 담는다. 호진이 잡곡밥을 주걱으로 휘젓는다. 모락모락 나는 연기가 따뜻하다. 잘 지어진 잡곡밥을 넓은 그릇에 퍼 담는다.

오늘 메뉴는 꼬막 비빔밥과 냉이된장국이다. 그 사이 냉이 향이 관사 안에 퍼진다. 교무부장은 충분히 끓인 된장찌개 맛을 호로록 보고, 고개를 끄덕인다. 만족스럽다. 된장찌개 냄비도 상으로 가져간다. 각자 된장찌개를 작은 그릇에 담는다. 밥 위에 꼬막과 양념장을 얹는다. 김 가루도 솔솔 뿌리고, 숟가락으로 쓱쓱 비빈다. 꼬막은 최 부장이 어제저녁 마을 주민들과 갯벌에서 캤다.

"그러고 보니 오늘 교감 선생님이 안 오셨네."

최 부장이 밥을 비비며 말한다.

"마을 주민들이랑 낚시하러 가셨대."

하 부장이 비빔밥을 한 입 크게 넣는다.

"낚시? 그것도 마을 주민이랑? 진짜 간 거 맞아?"

교무부장이 의심스럽게 묻는다. 교감은 낚시할 줄 모른다. 낚시를 같이할 만큼 친한 마을 주민도 없다.

"관사에서 술만 마시는 줄 알았는데 낚시도 하시는 줄 몰랐네."

최 부장도 비빔밥을 우걱우걱 씹으며 말한다.

"퇴근 전에 복도에서 만나서 물어봤더니 그러셨어."

하 부장이 냉이된장국을 한 숟갈 떠 넣는다.

"밥 버거 준비는 잘 돼가?"

최 부장이 교무부장에게 묻는다.

운동회 때 밥 버거 재료 준비는 교무부장의 일이다.

"아니, 몰라. 어떻게든 되겠지. 다른 일도 많은 데 주말에 준비해야 할 판이야."

교무부장이 빈 맥주잔을 내리친다.

"호진아, 술 좀 갖고 와봐."

교무부장이 술 상자를 가리킨다. 호진은 옷장 앞에 쌓인 소주와 맥주 상자를 뜯어 두 병씩 갖고 온다.

"소맥 마실 사람?"

교무부장이 소주병을 열며 묻는다.

“저요!”

호진이 손을 든다. 그리고 맥주잔 두 개에 맥주와 소주를 2대 1 비율로 타고, 젓가락으로 잘 섞이게 젓는다. 많이 한 솜씨다.

최 부장과 하 부장은 소주잔에 소주를 서로 따라 준다. 넷은 타이밍 좋게 건배하고 술을 쭉 들이켠다.

“캬! 시원하다.”

최 부장이 입을 닦는다.

“밥 버거만 문제가 아니야. 담력 훈련이니 둘레길 걷기니 운동회 일이 더 많아졌잖아.”

하 부장이 말한다.

“둘레길 걷기는 너 아이디어 아니야?”

최 부장은 원망의 눈초리로 하 부장을 본다.

“말하라고 하는데 어떡하냐.”

하 부장이 억울한 듯이 말한다.

“이런 걸 보면 교감은 일할 때만 섬 타령이고, 섬이라고 배려를 해준 적이 한 번도 없어.”

최 부장이 소주를 한 잔 더 마신다.

“왜? 최 부장 무슨 일 있었어?”

“지난주에 딸아이가 열이 39도까지 올라가서 생사가 오가는 데 아침 배로 잠깐 집에 다녀오겠다는 걸 못 가게 하잖아."

"교감이?"

하 부장이 놀란다.

"어, 얼마나 애가 타고 걱정되던지."

최 부장은 소주를 한 잔 더 채워 마신다.

"왜 그랬대?"

교무부장이 묻는다.

"자기 보결 서기 싫다고, 선생님 한 명 봐주면 다른 선생님들도 일 있을 때마다 육지로 다 나가고 싶어 할 거라고."

최 부장이 소주를 한 잔 더 마신다.

"그건 그래. 우린 조퇴도 출장도 못 달고 소처럼 일만 하는데 약간 승진을 볼모로 부려 먹는 느낌이야."

하 부장도 소주를 털어 넣는다.

"그래서 은지는 괜찮은 거야?"

교무부장이 걱정스럽게 묻는다. 은지는 하나밖에 없는 최 부장의 늦둥이 딸이다. 은지가 생기고 나서 최 부장은 딸바보가 되었다.

"응, 다행히 회복은 됐는데 다음에 또 이런 일이 있으면 어떻게 할지 모르겠어. 행복도를 나가고 싶어. 올해가 만기니 잘 버텨야지."

술자리는 무거워진다.

“교감도 올해 만기지 않아?”

하 부장이 묻는다.

“빨리 떠나라고 그래.”

교무부장이 손을 휘휘 젓는다.

“교감 선생님, 범죄자 연수 때도 별로였어요.”

부장들의 대화를 조용히 듣고만 있던 호진이 처음으로 입을 연다. 호진의 소맥 잔은 이미 비었다.

“세상 바른 척! 세상 정의로운 척! 훈계하는데 검사인 줄 알았어요. 본인은 밤늦게 술 마시고 출근도 늦게 하잖아요.”

“출근도 안 해?”

놀란 최 부장이 되묻는다.

“지금까지 몰랐어? 업무용 메신저도 교무실 실무사가 켜주는 거잖아. 교감보다 실무사가 교감 메신저를 더 많이 켜봤을걸.”

하 부장이 말한다.

“우리가 누구 때문에 알코올 중독자가 됐는데!! 이게 다 교감 때문이잖아.”

교무부장이 남은 소맥을 비우고 말한다. 그리고 소맥을 만든다. 수요 술 모임을 처음 만든 사람도 교감이었다. 혼자 마시는 것보다 같이 마시는 술이 더 달콤하다며 네 사람을 꼬드겼다. 술을 못 마신다고 한사코 거부하는 하 부장에게는 수요

술 모임에 자리만 채워달라고 했다. 자리를 잘 채우자 소주 한잔 두잔씩 먹어보라고 권했다. 한 잔 두 잔 받아먹다 보니 하 부장의 주량은 소주 한 잔에서 한 병으로 늘어나 있었다.

네 사람은 잔을 가볍게 부딪친다. 술이 시원하게 넘어간다.

"그러고 보니 술 모임도 안 나오고 다른 회식도 안 하고, 교감 선생님 이상하지 않아?"

교무부장이 얼굴을 찌푸린다. 세 사람은 고개를 끄덕인다. 행복도에 근무하면서 교감이 회식을 이 주 이상 안 한적은 처음이다.

"교감 태도가 변한 것도 범죄자 연수 이후잖아."

최 부장이 말한다.

"우리 중에 정이현을 죽인 사람이 있다고 생각하는 거 아니야?"

하 부장이 술에 취한 얼굴로 말한다. 세 사람은 흠칫한다.

"딱 보면 그렇잖아. 아니면 우릴 피할 이유가 있어?"

하 부장이 어깨를 들썩인다.

"정이현이 타살이면 누가 죽였을까? 궁금하네."

최 부장이 말한다.

"그만 얘기해. 밥맛 떨어져"

교무부장이 짜증 낸다.

"정이현과 일면식이 있는 우리는 다 용의선상에 있어."

교무부장을 무시하고, 최 부장이 추리를 시작한다.

"그렇지."

하 부장이 맞장구를 친다.

"그러고 보니 너도 수상해. 그때 왜, 행복도 숲에 갔었잖아. 정이현 죽고 나서. 그때 진짜 반지 찾으러 간 거 맞아?"

최 부장이 묻는다.

"그건 얘 때문이었어."

하 부장이 호진을 가리킨다.

"범인은 반드시 사건 현장에 나타나잖아."

최 부장은 눈을 가늘게 뜬다. 열심히 설명하는 하 부장이 더 수상하다.

"얘가 내 반지를 가져간 사람이 정이현이라고 했어. 난 내 목숨만큼 중요한 반지를 찾으러 갔을 뿐이야!"

"당연히 잃어버린 물건은 주인을 찾아줘야죠. 제가 말 안 했으면 하 부장님은 아직도 반지 찾았을 거예요."

호진이 차분하게 말한다.

"맞아, 그리고 얘는 나랑 같이 있었어. 알라 바이도 확실해!"

교무부장이 맞장구친다.

"나도 확실해. 일요일 오후 배 타고 와서 교감 선생님 관사에서 쪽파 다듬었거든. 그러고 보니 최 부장은 그 주에 계속 행복도에 있었네.”

하 부장이 말한다.

“아니, 누가 주말에 알리바이를 생각하며 사냐고, 나 진짜 억울해. 평범한 주말을 보냈어.”

최 부장이 답답한 가슴을 친다.

“그래서 뭐 했는데?”

하 부장이 집요하게 묻는다.

“뭐, 금요일 토요일은 관사에서 늦잠 자며 쉬었지. 일요일은 사격장 간 게 전부야. 졸지에 알리바이도 없는 수상한 사람이 됐네. 솔직히 우리 중에 정이현한테 가장 악감정 있는 사람을 따지면 이 냉이된장국을 끓인 교무부장이지.”

“왜?”

교무부장이 이해가 안 간다는 듯이 묻는다.

“어디 괴롭힌 게 한두 개야? 너 걔 싫어했잖아.”

“내가 언제?”

“자기 마음에 안 든다고 주말에 하기 싫어하는 잡일 시켜, 결재도 안 해줘. 회식 자리에서 앞담화 뒷담화 장난 아니었잖아.”

최 부장이 폭격을 날린다.

교무부장은 최 부장의 말을 곱씹는다. 내가 그렇게 정이현을 싫어했던가. 싫어했던 건 사실이다. 하지만 정이현의 죽음과 함께 악감정도 뿌연 안개가 깔린 풍경처럼 흐릿해져 갔다. 눈엣가시였던 사람이다. 자기가 무슨 말만 하면 말대꾸만 하고, 신규교사면서 예의도 개념도 없었다. 나중에 고아로 자랐다는 말을 들으니 그렇게 자랄 수밖에 없는 사람이구나 싶었다.

하지만 교무부장은 처음부터 정이현을 대놓고 싫어했던 건 아니다. 대놓고 괴롭혔던 건 공개 수업 때 정이현의 그림을 보고 나서였다. 그림은 유화로 그린 행복도의 풍경이었다. 그 그림을 보고 자신을 협박했던 사람이 정이현이라는 것을 확신했다.

공개 수업 전 상담 주간이 있었다. 그때 학부모에게 받은 돈을 서랍에 넣고 잠갔다. 열쇠 서랍은 키보드 아래에 숨겨 두었다. 며칠 뒤 그 서랍을 열었을 때 돈은 사라지고 없었다. 그리고 나중에 그림과 종이가 있었다. 꼼꼼하게 여러 번 칠한 지폐 그림이었다. 엿을 먹이려고 그린 그림이라기에는 정성이 있었다. 인쇄된 종이에는 '네가 한 행동을 전부 알고 있다. 신고할 거다.'라고 적혀있었다. 누가 숨겨진 열쇠를 찾아 열었는지 알 수가 없었다.

나에게 이런 그림을 보낸 사람이 누굴까. 곰곰이 생각했지만, 예상이 가지 않았다. 적어도 나에게 원한을 갖고 있고, 이 일을 알만한 사람. 학교 사람이거나 그 학부모가 봉투를 준 이야기를 했다면 다른 섬마을 사람일 확률이 있었다. 하지만, 행복도 사람 중 누가 자기에게 원한을 갖고 이런 작품 같은 그림을 보낸단 말인가. 교무부장은 이 일을 아무에게도 말을 못 하고, 끙끙 앓기 시작했다.

그러다가 공개 수업 때 범인을 찾은 것이다. 그때쯤이었을 것이다. 정이현을 업무적으로 악랄하게 괴롭힌 것은. 아무것도 아닌 게 날 감히 건드렸다는 게 괘씸했다. 어떻게 괴롭혔는지는 기억이 안 난다. 원래 사람은 준 건 기억 못 하고, 받은 것만 기억한다.

하지만 운이 좋게 정이현이 죽었다. 그 뒤로 평화로운 나날이 계속되었다. 정이현이 죽고, 형사와 관사에서 그림을 봤을 때도 교무부장은 지폐 그림을 그린 화가가 정이현이라고 확신했다. 어두컴컴한 색채의 유화 그림이 지폐 그림과 느낌이 비슷했다.

그렇게 충격적인 협박 사건도 옅어질 때쯤 협박이 다시 왔다. 이 주 전의 일이다. 이번엔 사진과 글이었다. 글 내용은 지난번과 같았다. '네가 한 행동을 전부 알고 있다. 신고할 거다.' 사진은 여자의 시체 사진이었다.

교무부장은 사진에 소름이 끼치면서도 억울함에 잠을 못 잤다. 학부모 돈도 받고 싶어서 받은 게 아니었다. 학부모는 선생님께 쓴 편지라며 흰 봉투를 주었다. 처음에는 나중에 편지를 읽어볼 심산으로 서랍에 넣어 둔 것이다. 편지를 읽었을 때는 자기 아들을 잘 부탁한다는 간단한 편지와 함께 수표 한 장을 보았다.

교무부장은 바로 그 학부모에게 전화했다. 돈을 다시 돌려주겠다고 요즘 시대에 이러면 안 된다고 말했다. 학부모는 우리 사이에 몇 년 동안 봐 왔는데 이 정도는 그럴 수 있는 소정의 마음이라며 돌려받지 않겠다고 했다. 교무부장은 돈을 받는 게 맞는지 조금 망설이다가 별말 없이 전화를 끊었다.

30년 교사 생활하면서 학교에서 학생과 학부모에게 촌지라는 이름으로 돈을 받는 일은 흔했었다. 스승의 날이나 생일이면 각종 선물과 돈을 받았다. 그게 청탁이라고 생각하지 않고, 교사에 대한 존경이자 감사의 표현이라고 생각했다. 하지만 김영란법인지 뭔지 이상한 법이 시행되고 나서는 학생과 학부모에게 뭘 받을 수가 없었다. 물 한 잔도 받는 게 부정 청탁이 되는 이상한 현실이었다.

학부모를 신고할까도 생각해 봤지만, 학교를 소란스럽게 만들고 싶지 않았다. 학부모와의 관계도 불편하게 만들고 싶지 않았다. 그 어머니가 자신에게 불순한 의도를 갖고 돈을 준 게 아니라고 믿었다.

하지만 그 뒤로 그 엄마는 몇 가지 무리한 요구를 해왔다. 수업을 잘 들을 수 있게 우리 아이 자리를 맨 앞자리로 옮겨 달라고 했다. 늦은 시간에 전화가 와서 생활기록부에 어떤 문구를 써달라고 했다. 말도 안 됐다. 그건 곤란하다고 하면 그 일을 슬쩍 흘려 말하며 해달라고 요구했다. 세상에는 공짜가 없었다. 게다가 교무부장은 그 돈도 도둑맞았다.

스승의 그림자도 밟지 말라는 말은 옛말이었다. 교사는 스승이 아니라 학생과 학부모의 요구를 들어주는 서비스직이 되어있었다. 교권이라는 것이 무너지고 사라진 지는 오래였다. 그리고 지금에 와서 신고하기에 늦은 감이 있었다. 무엇보다 지금까지 이 일로 처벌을 받게 되면 교직 생활과 승진은 어떻게 되는지 알 수가 없었다.

여자 시체 사진을 본 뒤 교무부장은 불안에 떨며 살았다. 이렇게 살다가는 정신병에 걸릴 것 같아서 정신과에 가서 약도 받았다. 최근에 수요 술 모임 회원에게도 비밀이라며 학부모에게 받은 돈과 협박 그림 이야기를 처음으로 누군가에게 털어놓았다. 하지만 여자 시체 사진은 끝까지 말할 수 없었다. 무덤에 갈 때까지 비밀이어야 한다.

"부장님?"

호진이 교무부장의 어깨를 잡는다.

"어?"

교무부장은 긴 생각에서 깨어난다.

“무슨 생각을 그렇게 오래 해?”

하 부장이 어리둥절한 표정으로 교무부장을 바라본다.

“아, 아무것도 아니야.”

교무부장은 손을 내젓는다.

“근데 걔 진짜 죽은 거 맞아? 정이현.”

교무부장이 얼굴을 찌푸리며 묻는다.

“왜?”

최 부장이 묻는다.

“협박 편지가 계속 와.”

교무부장은 소맥을 한 잔 털어 넣는다.

하 부장은 귀를 막는다. 새로운 공포 이야기가 시작되는 것 같다.

“정이현이 죽었는데 협박 편지가 계속 온다는 것은...”

최 부장은 소주병을 들어 잔에 따른다. 소주가 없다. 다른 소주병을 붙잡고 잔을 채운다. 소주가 쪼르륵 흐른다.

“처음부터 정이현 선생님이 협박 편지를 보낸 게 아니었거나...”

호진이 최 부장 말을 잇는다.

“처음엔 정이현이 보냈지만, 죽고 난 뒤 다른 누군가가 이어 보내고 있는 거 아니야?”

최 부장이 호진의 말을 잇는다. 그리고 소주를 한 잔 더 털어 넣는다.

회식 분위기는 잠잠해진다.

"예를 들면 누가?"

교무부장이 묻는다.

다들 생각에 잠긴다. 누가 이런 협박 글을 보냈을까.

"예를 들면 이상현?"

하 부장은 귀를 막던 팔을 내리며 말한다. 귀를 막았지만, 대화는 다 듣고 있었다.

교무부장은 얼굴을 잔뜩 찌푸린다. 그리고 입술을 깨문다. 기간제 교사 면접을 봤을 때처럼 고심한다.

"정이현이 죽은 걸 뻔히 알면서 자기 발로 이 외진 섬에 들어온 것부터가 꿍꿍이가 있었던 거네. 그렇네!!"

하 부장은 고개를 몇 번 끄덕인다. 갑자기 모든 게 이해된다.

"아니, 알아듣게 설명 좀 해 봐."

교무부장이 얼굴을 마구 찌푸린다.

"맞네, 맞아. 처음부터 이름처럼 이상했어. 이름도 이상, 현이잖아."

하 부장이 상현의 이름을 중간에 쉬어 말한다. 그리고 설명을 시작한다.

"이상현이 정이현이랑 같은 교대를 다녔잖아. 그 기간도 겹쳐. 기간제 면접 때 이력서 봤지?"

하 부장이 교무부장에게 묻는다.

"그렇지."

교무부장은 고개를 끄덕인다.

"그리고 지난번 환영회 때 이상현 고향이 부산이라고 했잖아. 정이현 고향도 부산이야."

셋은 조용히 고개를 끄덕인다.

"그래서 내가 뒷조사를 좀 해봤지. 근데 고향이랑 대학만 겹치는 게 아니야."

"그러면?"

"같은 고아원에서 자랐대. 게다가 둘이 가족처럼 친했대."

하 부장이 박수를 친다. 나머지 셋은 놀란다.

"지난번에 상현 형님이랑 같이 술을 마셨는데"

호진이 입을 연다.

"형님? 이상현이 왜 네 형님이야?"

최 부장이 묻는다.

"아무튼 그 형님도 여기서 근무하기 전에는 정이현 선생님 사건을 몰랐다고 했어요."

호진이 꿋꿋이 말한다.

"이놈 순진하네. 그걸 그대로 믿냐!"

최 부장이 언성을 높인다.

"확실해?"

교무부장이 하 부장을 보며 의심한다.

"내가 또 후배들 인맥이 쭉 있는데 이상현이랑 대학 동기인 후배한테 들은 이야기야."

하 부장이 확신에 차 말한다.

"하여간 처음부터 마음에 안 들었어."

교무부장이 말한다.

"이상현 선생님, 골탕 먹여 주는 건 어때요?"

호칭이 형님에서 선생님으로 바뀐다.

"어떻게?"

최 부장이 묻는다.

"행복도의 매운맛을 보여주죠."

호진의 눈빛이 매섭게 변한다.

<납치>

밤 8시다. 주유소 옆 오피스텔에서 한 남자가 걸어 나온다. 오피스텔 주차장에는 빨간 차가 보인다. 못 보던 외제 차다. 남자는 뒤를 돌아 오피스텔 건물을 본다. 3층 303호 불은 밝게 켜져 있다. 일주일이 넘게 어둠이 잠겼던 집이다. 결국 오피스텔 주인은 다시 행복도로 돌아왔다.

10월 중순의 찬 바람이 쌀쌀하다. 남자의 팔이 가늘게 떨린다. 남자는 후리스 주머니에 두 손을 집어넣고, 행복초등학교로 걸어간다. 가로등이 밝히는 차도는 잠자리 한 마리 보이지 않는다. 해가 지면 자연만이 살아 숨 쉬는 행복도다.

학교로 발걸음을 향하는 남자는 상현이다. 오피스텔을 나오기 30분 전 연구부장에게서 전화가 왔다. 그때 상현은 '행복도 사람들' 이야기를 구상 중이었다. 전화를 받을까, 말까, 고민했다. 근무 시간도 지났고, 늦은 밤이다. 전화를 받을 의무는 없다.

하지만 전화를 받지 않을 수도 없었다. 끈질기게 울려대는 전화는 포기를 모른다. 어떤 용건인지는 알 수 없었지만, 상현이 졌다. 전화를 받았다. 연구부장은 운동회 준비로 손이 부족하니 빨리 와서 도와달라고 했다. 상현은 알겠다고 하고 전화를 끊었다.

상현은 전화를 받은 것을 후회했다. 운동회 준비에 일손이 필요했으면 미리 말했어야지. 갑자기 집에서 쉬고 있는 사람을 불러내는 게 말이 안 된다. 이런 갑작스러운 부름도 모든 교직원이 학교 근처에 살아서 가능하다. 퇴근하면 뿔뿔이 흩어지는 도시학교에서는 있을 수 없는 일이다.

운동회 준비를 하는 선생님들은 초과근무를 달고 일하고 있을 것이다. 하지만 상현은 초과근무를 달지 못했다. 사고가 나면 누가 책임질지 알 수가 없다. 행복초등학교는 사생활과 개인 시간이 보장된 학교가 아니다. 상현은 학교 분위기를 철저히 깨달았다.

연구부장이 불러내지 않았다면 상현은 <행복도 사람들> 소설에 어떤 이야기를 담을지 구상을 이어갔을 것이다. 행복도 사람들은 제목만 있고, 이야기의 갈피를 정하지 못하고 있었다. 상현은 행복도에서 이야기에 집중하지 못한 게 못내 아쉬웠다.

행복도에서의 시간은 빠르게 흘러갔다. 상현은 매일 6시간 수업 후 퇴근하고 집에 오면 쉬기가 바빴다. 아이들에게 빨린 기를 침대에 누워 충전했다. 그 외의 시간은 이현의 죽음을 밝힐 증거들을 찾아 모았다. 행복도에서 남은 시간은 3개월 정도다. 8월에 이 섬에 입도해 벌써 3개월이 지나갔다. 행복초등학교는 1월 초에 겨울 방학을 앞두고 있다.

상현은 행복도를 떠나기 전에 이야기의 대략적인 뼈대라도 만들고 싶었다. 그러나 <행복도 사람들> 소설은 진전이 없었다. 그 이유는 작가인 자신이 하고 싶은 이야기가 없어서인 것 같았다. 나는 독자에게 어떤 이야기를 진심으로 하고 싶은가. 이 질문에 스스로 확실한 답을 내놓지 못했다. 상현은 행복도에서 만난 순수한 아이들의 마음을 이야기에 담고 싶다가도 오늘처럼 시도 때도 없이 오는 연구부장의 연락을 이야기로 써버리고 싶었다. 어느 쪽이 정답인지 자신도 몰랐다.

지금으로부터 2주 전이다. 9월에 나연의 오피스텔에 몰래 들어온 도둑은 상현이었다. 상현의 눈에 나연은 수상한 여자였다. 쌍둥이 동생이 죽은 행복도에서 부동산 투자를 하러 왔다는 여자. 일반적인 사람이면 께름칙한 일이다. 그리고 부동산 투자는 행복도가 아니어도 할 수 있다.

나연이 전 재산을 달라고 했을 때 상현은 나연을 돈밝

에 모르는 철면피라고 생각했다. 동생이 죽은 행복도에서도 건물과 돈을 위해서라면 무엇이든 할 것 같았다.

하지만 상현이 이현을 지키고 싶었던 사람이었다고 말했을 때 나연의 단단한 눈빛이 조금 흔들렸다. 상현은 그 흔들림을 놓치지 않았다. 그리고 작은 가능성을 생각했다. 그 여자는 철면피가 아니다. 부동산 투자는 행복도에 들어오기 위한 명분이다. 그 뒷면에는 어떤 사연이 숨어 있다. 어떤 사연인지 상현도 몰랐다. 하지만 이현과 조금이라도 관련이 있기를 바랐다.

나연의 사연을 알아보는 방법은 집을 뒤지는 것이었다. 집은 사적인 장소이자 있는 그대로의 자신이 드러나는 장소다. 그 결과 상현은 예상 밖의 큰 수확을 얻었다. 두꺼운 스프링 노트들.

도둑이 된 날, 상현은 바로 집으로 돌아왔다. 그리고 기다리던 작가의 신간 소설을 읽는 것처럼 노트를 읽어나갔다. 노트는 볼펜으로 쓴 글들로 빼곡했다. 올해 8월부터 시작된 일기는 다양한 이야기를 들려주었다. 행복초등학교 아이들이 그립다는 이야기, 나연 언니로 사는 게 정말 힘들다는 하소연, 그림을 그리는 순간이 삶의 유일한 즐거움이라는 내용이었다. 김나연이 아닌 정이현의 일기장이었다. 이현만이 쓸 수 있는 글이었다.

김나연이 죽고 난 후 '행복 자갈 마당'에 온 날에도 이현은 일기를 썼다. 그날 상현이 행복초등학교에 기간제 교사로 온 것이 정말 놀랐다고 적혀있었다. 그리고 카페에서 이야기를 나눈 날에는 상현에게 정말 미안했다고 적혀있었다.

의심이 들지 않은 건 아니다. 이 일기를 김나연이 썼을 수도 있다. 김나연이 정이현이 된 것처럼 쓴 것이다. 그러나 그렇게 일기를 쓸 이유가 뭘까. 생각이 나지 않는다. 무엇보다 김나연의 오피스텔에서 발견한 일기장과 이현의 관사에서 발견한 일기장에 쓰인 글씨체가 똑같았다. 아무리 쌍둥이라도 글씨체와 문체가 똑같기는 어렵다.

상현은 그렇게 작은 의심을 지웠다. 그렇게 이현은 살아있었다. 아이들이 행복도에서 정이현 선생님을 봤다고 말한 것은 거짓말이 아니었다. 죽은 여교사가 아직 살아있다는 소문은 근거 없는 소문이 아니었다.

동시에 상현은 의문들이 떠올랐다. 행복도 숲에 떨어져 죽은 여자는 누구일까. 진짜 김나연인가. 김나연은 행복도에서 어떻게 죽은 것인가. 그리고 이현은 왜 쌍둥이 언니가 죽은 행복도에 다시 돌아온 걸까. 잘 모르겠다.

이현은 자신이 김나연으로 살 수 있을지 끊임없이 의심하면서도 김나연으로 살기를 바랐다. 누군가가 또 다른 누군가의 삶을 대신해서 산다는 게 가능한가. 이현은 왜 상현에게 솔직하게 말하지 못했을까. 상현은 알 수 없었다. 이현에게 직접 물어봐야 한다. 그래서 303호 방에 빛이 오기를 기다리고 기다렸다.

상현의 첫 목표는 증거를 모아 신고를 하는 것이었다. 하지만 이현이 상현을 모른 척했던 것은 사건을 들추는 것을 원하지 않아서 일 수도 있다. 그래도 처음 목표를 따라갈 것인가. 아니면 포기할 것인가. 앞으로의 선택도 미지수였다. 행복도 숲에서 죽은 여자에게도 물어보고 싶었다. 하지만 죽은 사람은 말이 없다. 이 질문에 대한 답도 이현이 가지고 있다.

학교 운동장은 금방 도착했다. 상현은 교문을 천천히 밀고 학교 안으로 들어갔다. 운동장에는 아무도 없다. 무거운 어둠이 운동장을 채운다.

상현은 숨을 크게 마신다. 서늘한 가을밤 공기가 폐 안에 가득 찬다. 그리고 고개를 들어 달을 찾는다. 이현은 일기장에 달을 자주 봤다고 적었다. 두 사람은 닮아간다. 하늘에는 구름이 많다. 달은 보이지 않는다. 구름 뒤에 숨은 것 같다. 상현은 오늘 뜬 달이 상현달이었으면 좋겠다고 생각한다. 상현달이 뜨면 이현과 접점이 생겼다. 이현은 상현달을 보며 상현에게 연락했다. 상현달이 뜨지 않은 날에도 상현달이 뜨기를 기다리며 자신을 생각했다. 보라색 일기장이 해준 이야기다.

10월 중순인데도 춥다. 날씨는 가을이 아닌 초겨울이다. 옷을 얇게 입은 것 같다. 상현은 후리스 지퍼를 잠그고, 팔짱을 낀다. 찬바람에 몸이 오들오들 떨린다. 학교 운동장에서 보자고 했던 게 맞나. 상현은 연구부장을 기다리며 휴대폰 시계를 확인한다. 8시 10분이다. 약속 시간보다 10분이 지났다. 약속한 사람이 상대방을 기다리게 만든다.

호진이 상현의 등 뒤로 소리 없이 다가온다. 흰 손수건이 상현의 코와 입을 갑자기 감싼다. 상현이 순간 숨을 크게 들이쉰다. 그리고 몸에 힘이 풀린다. 휴대폰이 바닥으로 떨어진다. 상현은 의식을 잃고, 휴대폰은 주인을 잃었다.

상현이 의식을 되찾았을 때는 트렁크에 눕혀 있다. 자동차는 상현을 싣고, 어딘가로 가고 있다. 상현은 천천히 눈을 뜬다. 앞이 캄캄하다. 안대가 상현의 눈을 가렸다. 팔과 다리는 밧줄로 꽁꽁 묶였다. 움직일 수가 없다. 두꺼운 테이프가 입에 붙어있다. 살려달라는 외침도 "읍, 읍."으로 나왔다. 트렁크는 좁고 답답하다. 상현은 짐짝이 된 것만 같다.

상현을 실은 검은 자동차는 소나무 숲으로 들어선다. 숲속 길은 으슥하고, 어둡다. 자동차는 가던 길을 멈춰 선다. 트렁크 문이 열린다. 트렁크 안으로 청량한 저녁 공기가 가득 찬다. 최 부장이 상현의 머리를 잡는다. 하 부장이 상현의 상체를 잡는다. 호진이 상현의 발목을 잡는다. 상현은 행복도 소나무 숲에 내동댕이쳐진다. 이 일련의 과정은 침묵 속에서 이루어진다. 세 사람은 다시 자동차에 탑승한다. 일은 신속하고 빠르다. 검은 자동차는 매연을 가득 뿜어내며 떠난다.

상현은 낙엽 위에서 몸부림친다. 낙엽이 까끌까끌하다. 낙엽이 팔을 스친다. 상현은 몸부림을 더 세게 친다. 여기가 어디든 벗어나야 한다. 그러나 아무 소용이 없다. 상현은 어부의 그물에 잡힌 고기다. 몸부림을 세게 칠수록 밧줄이 자신을 더 옥죈다. 깊은 무기력이 온다. 할 수 있는 게 아무것도 없다. 발버둥 칠수록 더 깊은 심연으로 빠지는 것 같다.

상현은 죽을 뻔한 적이 살면서 한 번 있었다. 중학교 2학년 때였다. 친구들과 바다에서 놀다가 물에 빠진 적이 있다. 수심이 그렇게 깊은지 몰랐다. 놀라서 살려달라고 발버둥을 치다가 의식을 잃었다. 그 뒤로 상현은 바다에 들어가지 않는다. 바다에 대한 상현의 사랑은 멀리서 지켜보는 것이다.

상현의 등에 무언가가 닿는다. 단단하고 긴 기둥이다. 거칠다. 아, 나무다. 몸부림친 도착지가 나무 아래다. 낙엽 바닥과 나무 아래. 숲이다.

상현은 상황 파악을 했다. 운동장에서 의식을 잃고, 갑자기 납치당했다. 차 안에서 어떤 말소리도 듣지 못했다. 그리고 숲에 버려졌다. 범인이 누군지는 예상 갔다. 이런 짓을 벌일 사람들은 학교 사람들이다.

후회감이 썰물처럼 몰려온다. 상현은 행복도에 입도한 것을 처음으로 후회했다. 그리고 방심했다는 생각도 들었다. 위험한 섬인 것을 알면서도 아무런 대책도 없이 당했다.

하지만 행복도에 들어온 것은 그때 당시 할 수 있는 최선이었다. 팔다리 묶인 채 숲에 버려진 것이 최선의 결과다. 그러니 지금부터 할 수 있는 최선을 다하면 된다.

이렇게 얼마나 누워있었을까. 이 어두운 밤에 날 구하러 와줄 사람은 없다. 운이 좋게 이 숲이 등산로여서 사람이 지나다니는 길이라면 아침에 발견될 수도 있다. 반대로 인적이 드문 숲이면 언제까지 있을지 모른다.

상현은 입이 떨려온다. 자신의 의지와 상관없이 입 주변이 경련처럼 떨려온다. 상현은 입을 세게 다문다. 추위로 손에 감각이 사라진 지는 오래다. 다른 사람에게 발견되기 전에 얼어 죽을 것 같다.

"아우~ 아우~"

늑대 울음소리가 깊은 산 속에서 들린다. 이 숲에 늑대도 살고 있나 보다. 상현은 며칠 전 교장 선생님의 전체 메시지가 떠오른다. 숲에 멧돼지와 산 뱀이 자주 출몰하니 숲에 가는 것을 조심하라는 내용이었다.

상현은 죽음에 대한 공포감으로 몸이 떨린다. 멧돼지 밥이 될 수도 있다. 밝은 날 안전하게 발견되는 것은 운이 좋은 일이다. 살기 위해 정신을 차려야 한다.

하지만 상현의 머릿속에 떠오르는 건 이현의 일기장에 적혀있던 한 문구다.

'가까이서 보니 죽은 고양이었다. 차에 치여 죽은 것 같다.

계속 걸을까 고민하다가 발길을 돌렸다. 나도 저렇게 차에 치여 죽겠다는 불길함이 들었다.'

이현은 행복도에서 매번 죽음을 마주하며 살았다. 자신도 그 검은 고양이였을지 모른다. 일기는 단순히 과거의 일이 아니라 자신을 향한 경고이자 예언이었다.

상현은 간절히 살고 싶었다. 그 마음은 이현이 살아있음을 알고 난 변화였다. 행복도에 처음 들어올 때 상현은 죽음이 두렵지 않았다. 자신이 죽을 고비를 이미 여러 번 넘긴 것도 알고 있었다. 행복도에 들어와서 호진의 휴대폰을 뒤졌고, 김나연이라고 믿은 이현의 집을 불법으로 침입해서 뒤졌다. 그때부터 자신의 인생은 나락으로 정해져 있었다. 그때는 그렇게 살다가 죽는 것이 삶을 구걸하는 것보다 더 낫다고 생각했다.

하지만 지금은 달랐다. 죽음이 두렵지 않았던 것만큼 살고 싶었다. 삶에 미련이 남아서가 아니다. 사람은 누구나 한번은 죽는다. 삶에 미련을 가질 만큼 자신의 인생은 대단하지 않다. 그러나 자신이 죽으면 이현은 세상에 혼자 남겨진다. 이현은 남은 생을 혈혈단신으로 살아가야 한다. 그건 외로운 섬이 되는 일이다. 그런 이현이 가엾게 느껴졌다. 자신의 모든 것을 걸었는데 결국 이현을 지키지 못했다. 눈물 한 줄기가 안대 사이로 흐른다.

쓸쓸한 바람이 나무를 스쳐 지나간다. 낙엽들이 바람과 요란하게 춤을 춘다. 단풍 하나가 상현의 머리 위에 내려앉는다. 다른 하나는 허벅지 위에 내려앉는다. 상현은 낙엽의 촉감들을 무기력하게 받는다.

발소리가 들려온다. 어느 정도 거리가 있다. 상현은 얼어붙는다. 숨을 쉴 수가 없다. 상현은 사람 기척을 내지 않으려고 한다. 온 신경이 그 발소리에 모인다. 상현이 사용할 수 있는 감각은 청력과 후각뿐이다.

발소리는 점점 가까워진다. 하지만 동물 울음소리는 들리지 않는다. 발소리의 주인은 동물이 아니다. 적어도 멧돼지나 늑대류의 동물은 아니다. 무리 지어 움직이지 않는다. 한 사람 것이다. 사람이었다.

상현은 직감적으로 느낀다. 자신이 살 수 있는 마지막 기회다. 쉼 없이 발버둥 친다. 애벌레처럼 꿈틀댄다. 없던 힘까지 다 짜낸다. 그 사람에게 자기가 여기 있다는 것을 알려야 한다.

"읍, 읍, 읍."

상현이 외친다. '살려주세요!! 여기요!!'라는 뜻이다. 발소리는 더 가까워지고, 보폭이 빨라진다. 그리고 이내 상현의 앞에서 멈춘다.

옅은 향수 냄새가 난다. 처음 맡는 냄새다. 그 사람은 먼저 청 테이프를 떼어준다. 상현은 입으로 큰 숨을 쉰다. 청정한 공기가 한꺼번에 입으로 들어온다.

"아, 살 것 같아. 안대도 벗겨줘요."

상현이 다급하게 말한다. 그 사람은 말없이 안대도 벗겨준다. 상현은 안대를 벗는다. 그리고 빛이 들어온다. 눈을 세게 감는다. 강한 빛이다. 상대방은 손전등을 들고 있다. 상현은 눈을 천천히 가늘게 뜬다. 자신을 구한 사람이 누군지 보려고 한다.

긴 머리를 한 여자다. 여자는 자신을 보고 있다. 여자는 상현이 기다리고 기다리던 이현이다.

<은인>

두 사람은 빨간 차를 타고, 이현의 오피스텔로 돌아온다. 오피스텔은 상현이 물건을 뒤졌을 때처럼 엉망이 아니다. 가구들의 위치는 그대로고, 물건들은 잘 정돈되어 있다. 이현은 첫 번째 서랍에서 구급상자를 꺼낸다. 둘은 침대에 마주 보고 앉는다. 이현은 면봉에 연고를 묻힌다.

이현은 상현의 광대에 생긴 상처들을 본다. 나뭇가지에 긁힌 상처들이다. 이현은 상처에 연고를 발라준다.

"아, 아."

상현이 고개를 돌린다. 피부가 따끔거린다.

"가만히 좀 있어 봐요."

이현은 연고를 피하는 상현에게 말한다. 턱 끝에도 꼼꼼히 연고를 발라준다. 그리고 상처 위에 직접 밴드를 붙여준다. 광대에 하나, 턱 끝에 하나.

"심하게 다친 건 아니니 괜찮을 거예요. 시간이 지나면 딱지가 앉겠죠."

이현이 구급상자를 정리하며 말한다.

"제가 그 숲에 쓰러져 있는 건 어떻게 안 겁니까?"

상현이 이현에게 묻는다.

"봤어요. 우연히."

이현은 구급상자를 닫는다.

"납치당했던 학교 운동장부터요? 아니면 숲에 멧돼지 먹이로 던져졌을 때부터요?"

상현이 묻는다. 자신의 질문에 섬뜩해짐을 느낀다.

"오피스텔 나갈 때부터요."

이현은 바지 주머니에 손을 넣는다. 그리고 상현의 휴대폰을 꺼낸다.

"학교 운동장에 떨어져 있었어요. 본인 물건 잘 챙기세요."

상현은 얼떨결에 휴대폰을 받는다. 휴대폰을 잃어버린 것도 몰랐다.

"저를 납치한 사람도 봤겠군요."

상현은 휴대폰을 매만진다.

"네, 동료 교사들 같던데 학교에서 미운털 제대로 박혔나 보네요."

"미운털 박혔다고 모두가 범죄를 당하지는 않죠."

상현은 발끈한다.

"저는 왜 살려준 겁니까?"

상현은 이현을 보며 묻는다.

"죽을 뻔한 사람 살려줬더니 따지는 거예요? 제가 안 구해줬으면 진짜 멧돼지 밥이 됐을 거라고요."

이현은 눈을 동그랗게 뜬다. 그리고 구급상자를 다시 서랍에 넣는다.

"멧돼지 밥이 되도록 그냥 두죠."

상현은 마음에도 없는 소리를 한다. 그 말에 이현은 상현을 바라본다.

"그러면 다음 달 월세를 못 받잖아요. 그리고 지난달 이 집에 도둑이 들었어요. 비밀번호를 어떻게 알았는지 몰래 들어와서 집을 다 뒤졌더라고요."

"사라진 물건은 없었나요?"

상현은 모른 척 능청스럽게 묻는다.

"귀중품은 그대로고, 일기장만 사라졌어요."

이현이 말한다.

"안타까운 일이네요."

"도둑은 왜 일기장만 훔쳐 갔을까요?"

이현이 묻는다. 상현은 대답하지 않는다.

"그걸 생각하면 예상가는 사람이 한 명 있긴 한데..."

이현은 말끝을 흐린다.

"누군데요?"

상현이 묻는다.

"남자고, 지금 저에게 치료받은 사람이요."

상현은 피식 웃음이 새어 나온다. 이현은 따라 웃는다.

"네, 제가 훔쳐 갔습니다."

상현은 손을 든다.

"당당하네요."

"일기장에는 지금과 다르게 솔직하게 썼던데요. 많이 충격적이었지만요."

"소설이 아닌 일기니까요. 지금이라도 제 일기장 돌려주세요."

이현은 손을 내민다.

"한 달 가까이 일기를 못 썼었어요."

"미안하지만, 줄 수 없어요. 저도 그 일기장이 필요합니다. 경찰에 증거로 제출할 거예요. 한 사람의 억울한 죽음을 풀어야 해요."

침묵이 가라앉는다. 침묵을 깬 건 이현이다.

"일기장 주인인 제가 싫다면요?"

"김나연으로서 싫다는 건가요? 정이현으로서 싫다는 건가요?"

잠깐 정적이 흐른다.

"무슨 말씀을 하시는지는 잘 모르겠네요. 전 김나연이에요. 앞으로도 그럴 거고요."

이현은 상현에게 등을 보이며 화장대에 앉는다.

"응급처치도 끝났고, 그만 집에 들어가서 쉬시죠."

"이현아."

온 세상이 멈춘다. 얼음이 된 것 같다.

"잠깐 다른 사람들을 김나연이라고 생각하게 속일 수는 있겠지. 넌 그 사람과 외모도 목소리도 같으니까. 하지만 말 그대로 잠깐 속일 수 있을 뿐이야. 세상에 비밀은 없어. 거짓말은 언젠가는 들통이 나."

"들키지 않을 자신 있어."

"뭐, 운이 좋게 모두를 속였어도 너 자신은 속일 수가 없어. 네가 쓴 글이 그렇게 말해주고 있었어. 네가 김나연이 아니라 정이현이라는 것을. 그리고 넌 그림을 그리는 것과 아이들을 좋아하는 사람이라고."

이현은 울기 시작한다. 상현은 그 울음을 들어준다.

"하지만 돌이킬 수 없는 먼 길을 왔어. 모든 게 엉망이 되어 버렸어. 난 너무 많은 사람에게 너무 많은 거짓말을 했거든. 그건 내가 겁쟁이고, 나 자신으로 살 자신이 없어서야."

이현은 울먹이며 말한다.

"넌 겁쟁이가 아니야. 행복도 숲에서 날 구해준 사람이잖아."

상현은 엎드려 울고 있는 이현의 머리를 보며 말한다. 긴 웨이브 머리가 가느다랗게 떨린다.

"일기를 쓴 것도 이 위험한 섬에 다시 들어온 것도 다 용기였어."

상현은 웅크려 울고 있는 이현의 등을 토닥인다. 그리고 흐느낌이 멈출 때까지 기다린다.

"그리고 돌이키기에 아직 늦지 않았어. 과거는 쏟아진 물이지만 미래는 빈 컵 같은 거니까. 과거는 다시 담을 수 없지만 다가오는 미래는 무엇이든 담을 수 있어. 솔직하게 말할 기회와 시간은 아직 있어. 네가 마음만 먹는다면 말이야."

이현은 눈물을 닦는다.

"어디서부터 어떻게 바로 잡아야 할지 모르겠어. 내 미래를 생각하면 아무것도 안 보여."

이현은 깜깜한 어둠을 생각한다. 그게 자신의 미래였다. 인생은 혼자 그 어둠 속에서 무서움에 떨며 걷는 것이었다.

"그 어둠 속에 혼자 있지 않아."

상현은 이현의 마음을 읽은 것처럼 말한다.

"나도 있어."

상현은 손을 가슴에 대며 말한다.

"내가 어둠을 밝히는 빛이 될게. 네가 다시 정이현으로 살아갈 수 있게. 나를 믿어줘."

이현은 울기를 멈추고 고개를 든다.

"왜 날 위해서 이렇게까지 하는 거야?"

"너는 좋은 사람이니까."

"난 사실 다른 사람들이 생각하는 것만큼 좋은 사람이 아니야."

이현이 말한다.

"나한테는 좋은 사람이었어. 앞으로도 좋은 사람일 거야. 나한테 넌 하나밖에 없는 소중한 동생이야."

상현은 망설임 없이 대답한다. 진심이다.

"나랑 같이 이 행복도를 떠나자. 나가서 다시 시작하자. 내가 끝까지 싸워주는 사람이 될게. 너를 위해서."

상현은 침대에서 일어난다. 그리고 이현에게 손을 내민다. 이현은 상현이 내민 손을 바라본다. 크고 두툼한 손이다.

상현은 이현에게 이렇게 항상 손을 내밀었다. 이현이 초등학교 1학년 때였다. 고아원 근처에서 아이들에게 부모 없는 아이라고 놀림을 당했다. 그때 상현이 어디선가 슈퍼맨처럼 나타났다. 그리고 이현을 놀리는 아이들을 향해 우리도 부모가 있다고, 대신 싸워줬다. 그때나 지금이

나 상현은 변함이 없었다. 상현은 든든한 사람이었다.

이현은 상현의 손을 잡는다.

<너무 좋은 교사가 되려고 하지 마>

상현과 이현은 인천 중구 경찰서에 간다. 형사과를 찾는다. 상현이 먼저 앞서서 걷는다. 이현은 상현 뒤를 졸졸 따른다.

한 형사가 복도를 지나간다.

"저 이쪽이 형사과가 맞나요?"

상현이 묻는다.

"네, 저 안쪽으로 들어가시면 됩니다."

형사가 길을 알려준다.

"네, 감사합니다."

그때 반대 방향에서 이 형사가 걸어온다. 손에는 종이컵이 있다.

"이상현 씨 되십니까?"

이 형사가 묻는다. 상현에게 미리 연락받은 이 형사는 상현을 기다리는 중이었다.

"네."

상현이 대답한다. 이 형사는 고개를 기울인다. 상현 뒤에 숨어있는 여자가 누군지 본다. 이현은 상현 옆으로 슬며시 선다. 이 형사는 소스라치게 놀란다. 종이컵을 떨어트린다. 커피가 복도 바닥에 쏟아진다.

세 사람은 조사실로 이동한다. 조사실 책상에는 노트북이 있다.

"이게 어떻게 된 겁니까, 정이현 씨."

이 형사는 당혹스럽다.

"아니, 본인이 정이현인 건 어떻게 증명할 겁니까? 본인 신분증을 왜 김나연 씨가 가지고 있었습니까?"

"제 신분증이랑 바꿨으니까요."

이현은 가방에서 지갑을 꺼낸다. 지갑에서 신분증을 꺼내 보여준다. 김나연 신분증이다. 이 형사는 이현의 말을 노트북에 받아 적는다.

"신분증을 왜 바꾼 겁니까?"

이 형사가 묻는다. 이때 송 형사가 조사실 안으로 들어온다. 손에는 작은 지퍼백이 있다.

"저 DNA 검사를 하라는 지시가 있어서요. 머리카락 몇 가닥만 뽑아가겠습니다."

"어, 그래."

이 형사가 송 형사를 본다. 송 형사는 이현의 머리카락을 몇 올 뽑는다. 그 머리카락을 봉투에 넣는다.

"눈에 보이는 걸 믿을 수가 있어야지, 원."

이 형사가 고개를 젓는다.

송 형사는 인사 후 조사실을 나간다. 조사실은 조용해진다.

"계속 설명해 보시죠. 신분증은 왜 바꾼 겁니까?"

"살고 싶었으니까요."

"알아듣게 설명 좀 해주시죠. 신분증을 바꾸고, 김나연 씨 행세를 하고 다닌 건 언제부터입니까?"

"언니를 마지막으로 만났을 때부터요."

"그때가 언제입니까?"

이 형사는 이현의 말을 노트북에 받아적기 시작한다.

이현은 행복도를 떠나서 N 호텔에 갔다. N 호텔 로비는 호화로웠다. 로비에는 양복을 입은 사업가나 외국인들이 돌아다닌다. 그 로비에 이현이 어색한 듯 들어온다. 손에는 남색 캐리어가 있다. 이현은 검은 모자에 검은 마스크를 썼다. 그리고 흰 블라우스에 청바지를 입고 있다. 아는 사람을 여기서 만나고 싶지 않았다. 다행히 이현에게 눈길을 주는 사람은 없다.

이현은 이 호텔에 몇 번 왔었다. 섬에서 나와 잘 곳이 없을 때 나연이 도움을 주었다. 하지만, 호텔은 여전히 낯설고 신기했다. 이현은 고개를 돌리며 주변을 살핀다.

이현은 나연의 말을 떠올린다.

'호텔 로비 프런트에 네 이름을 말해. 그러면 직원이 객실 카드를 줄 거야. 그 카드를 받아서 방에서 기다려줘. 내가 해지기 전에는 갈게.'

이현은 호텔 데스크로 향한다. 때 묻은 운동화와 광나는 호텔 바닥이 대조된다.

"안녕하세요, 예약한 방 입실하려고요."

이현은 호텔 직원에게 말한다.

"예약자 이름이 어떻게 되시죠?"

호텔 직원이 묻는다.

"정이현이요."

이현이 말한다.

"1309호입니다. 즐거운 여행 되세요."

호텔 직원은 호텔 룸 체크인 카드를 건넨다.

이현은 카드를 받아 엘리베이터를 탄다. 엘리베이터는 13층으로 올라간다. 엘리베이터 투명창이 서울 시내 풍경을 한눈에 보여준다. 엘리베이터가 13층에 멈춘다. 이현은 1309호를 찾는다. 엘리베이터로부터 맨 끝방이다.

이현은 낡은 운동화를 벗는다. 무거운 캐리어를 방 안으로 들여놓는다. 그제야 검은 모자와 마스크를 벗는다. 유리창으로 서울 시내가 한눈에 들어온다. 하늘을 배경으로 우뚝 선 남산타워. 다닥다닥 붙어있는 고층 건물들과 빽빽한 아파트. 건물 사이로 쭉 뻗은 포장도로. 도로 위를 빠르게 달리는 자동차들, 여유 있게 걸어 다니는 사람들. 이현은 서울의 풍경에 감탄한다. 섬에서는 못 보는 풍경이다.

이현은 알고 있다. 저 빽빽한 주택 중 내 집은 없다는 것을. 내 자리는 서울이 아니라 행복도라는 것을. 배, 바다, 오르막이 심한 구불구불한 길, 논과 밭, 학교 안에 관사. 여기가 이현의 자리다.

침대에 앉은 이현은 휴대폰으로 시간을 확인한다. 오후 2시다. 학교에 주말 근무도 안 하고, 아침 배로 섬을 떠났다. 관리자에게 이야기도 하지 않았다. 아직 해는 쨍쨍하다. 오늘 한 끼도 먹지 못했다. 음식을 먹을 힘과 식욕이 없다. 속도 울렁거린다.

문이 열린다. 이현은 침대에서 일어나 뒤를 본다.

"이현아"

나연이 호텔 문 앞에 서 있다. 보라색 원피스에 긴 머리를 하고 있다. 둘은 똑같이 생겼지만 다른 사람인 것을 서로 안다.

"많이 기다렸지?"

나연이 보라색 구두를 벗고 방 안으로 들어온다.

이현은 눈물을 참아보려고 입술을 세게 깨문다. 그리고 침대에 다시 주저앉는다. 참았던 눈물이 나연을 보니 다 터져버린다. 이현은 소리 내서 엉엉 운다.

나연은 이현에게 다가간다. 그리고 테이블 위에 있는 휴지를 가져온다.

"고생 많았어, 이현아. 몸은 괜찮은 거야?"

나연은 휴지를 이현에게 건넨다.

이현은 휴지로 눈물을 닦는다.

"아니, 괜찮지 않아. 숨이 잘 안 쉬어져. 심장박동도 너무 크게 들려."

"언제부터 그랬던 거야?"

"어젯밤부터 그랬어. 그래서 잠을 못 잤어."

이현은 코를 훌쩍인다.

"어디 부딪히거나 다친 거야?"

나연이 걱정스럽게 묻는다.

이현이 고개를 젓는다.

"평소에 아픈 곳은 없었어? 약을 먹는다든지."

나연이 묻는다.

"아니, 없어. 난 건강했어. 행복초 교사가 되기 전까지는."

이현이 고개를 젓는다. 그리고 크게 심호흡한다. 원하는 만큼 숨이 안 쉬어진다. 누가 가슴을 꾹 조르는 것 같다. 숨을 쉬는 게 고통스럽다.

"일반적인 것 같지는 않아."

나연이 조심스럽게 말한다.

"어떤 게?"

"오랫동안 숨이 안 쉬어지고, 심장이 심하게 두근거린다는 게. 난 심장병이 있지만, 넌 아니잖아."

나연이 말한다.

이현은 불안감에 손톱을 물어뜯기 시작한다. 그 사람들이 여기까지 쫓아올 것만 같다. 눈 밑의 다크서클이 검은 밤처럼 짙다.

"그래서 병원은 갔어?"

"아니,,, 아침 배로 나오느라 시간도 없었고, 어느 병원을 가야 할지도 모르겠어."

"병원을 간다면 정신과를 가야 하지 않을까? 숨이 안 쉬어지는 게 공황과 불안 증세처럼 보여."

나연이 걱정스럽게 말한다.

이현의 눈에서 눈물이 뚝뚝 떨어진다. 내가 정신과를 가야 한다니 하늘이 무너지는 것 같다. 내 몸이 내 몸이 아니고, 내 마음도 내 마음이 아니다.

"도대체 그 섬에서 무슨 일이 있었던 거야?"

나연은 이현의 눈을 바라보며 묻는다.

이현은 나연에게 어떻게 말할지 조금 망설인다. 아무에게도 말하지 않고 마음속에 쌓아뒀던 이야기다. 아무도 들으려고 하지 않았던 관심 밖의 이야기다. 하지만 나연은 이현이 믿을 수 있는 사람이었다.

이현은 행복도에서 있었던 일을 솔직하게 나연에게 말한다. 나연은 말없이 이현의 이야기를 듣기 시작한다. 온 마음을 다해서.

어젯밤 이현은 잘 준비하다가 발을 헛디뎠다. 그 바람에 침대 곁에 있던 무드 등이 넘어지면서 깨졌다. 그리고 무드 등 안에 몰래카메라가 있었다. 그 카메라의 검은 눈이 잡아먹을 듯 자신을 감시하고 있었다.

이현이 이야기를 하는 동안 서울의 풍경은 변한다. 해가 서쪽으로 지면서 노을을 만들고 있다. 하늘이 보랏빛으로 물든다. 가로등의 불빛이 환하다. 도로에서 빠르게 달리던 자동차들은 퇴근 시간을 따라 느릿느릿 기어간다.

"이렇게 살다가는 죽을 것 같아."

이현은 흐느끼며 말한다.

"그리고 계속 이상한 말이 들려. 귀를 막아도 들여. 마치 환청처럼."

이현은 두 손으로 귀를 막는다. 손이 떨린다.

"어떤 이상한 말?"

"다 죽여버리라고, 그냥 다 죽여버려."

이현은 마음의 소리를 주문처럼 되뇐다.

나연은 흠칫 놀란다. 하지만 이내 수긍한다.

"그래, 그런 것들은 그냥 다 죽여버려."

"어떻게?"

이현이 두 손을 내린다.

"그건 네가 어떻게 죽이고 싶냐에 따라 달렸지."

나연은 자리에서 일어난다. 냉장고에서 물을 꺼낸다. 그리고 물병에 입을 대지 않고 한 모금 마신다. 시원하다.

"나는 네가 가진 증거로 경찰에 신고했으면 좋겠어."

나연은 이현에게 물병을 건네며 말한다. 이현은 고개를 젓는다. 나연은 물병을 냉장고에 다시 넣는다.

"내가 신고하면 그다음은 어떻게 되는 건데?"

이현이 묻는다.

"그 사람들은 처벌받겠지."

"처벌을 받으면? 그다음은? 다른 선생님들도 다 알게 될 거야. 내가 동료를 신고했다는 걸. 다른 학교를 옮겨도 그 꼬리표를 달면서 내가 교사로 일할 수 있을까? 신고할 자신이 없어. 그걸 좋아할 선생님도 없을 거야."

이현은 목소리는 점점 작아진다.

"교사를 그만두는 건?"

나연이 묻는다.

"내가 교사가 되려고 얼마나 노력했는데 2년도 못 하고 어떻게 그만둬."

"그래, 교사를 못 할 수도 있겠지. 하지만 네가 죽을 것 같다며. 일단 살고 봐야지. 죽고 나서 직업이 교사인 게 뭐가 중요하겠어."

나연은 이현을 설득한다.

이현은 나연의 말이 정말 맞는지 곱씹는다.

"교사이든 아니든 넌 존재 자체로 유일하고, 소중한 사람인걸. 무책임하고 속 편한 소리로 들릴 수도 있지만, 진심이야. 네가 살 수 있다면 어떻게든 잘 살 거야. 교사를 하지 못한다고 해도 말이야. 그러니 걱정하지 마."

나연은 이현의 단발을 쓸어준다.

이현은 교사가 되려고 해온 노력이 주마등처럼 스쳐 지나간다. 고등학생 때는 교대에 들어가려고 잠을 줄여가며 공부했다. 교대에 입학하고 나서는 무사히 졸업을 위해 시간을 쪼개가며 아르바이트와 공부를 병행했다. 대학을 졸업하고 나서는 좋은 선생님이 되고 싶어서 하루에 매일 10시간씩 임용고시 공부를 했다. 잘 살고 싶었다. 그래서 교사가 되고 싶었다. 그렇게 쌓아온 노력의 결과가 행복초등학교 교사다.

"결국 이게 내 무덤이었어. 내가 뭘 잘못했길래 이렇게 됐을까?"

"네가 잘못한 건 없어. 그러니 자책하지 말고, 너를 먼저 생각해. 그러면 행복도에는 언제까지 있을 거야?"

"잘 모르겠어."

이현이 고개를 젓는다.

"신고를 안 하더라도 그 섬에서는 나오는 건 어때? 네가 힘들어 보여. 마치 절벽 끝에 서 있는 사람 같아."

나연이 말한다.

이현은 행복도를 떠나는 상상을 한다. 내가 섬을 떠나면 아이들은 어떻게 되는 걸까. 영원이가 했던 말도 생각난다. 섬을 떠나지 말고, 내년에도 함께 있어야 한다는 말. 이현은 아이들과 내년에도 행복도에 있겠다고 약속했다. 약속을 지키지 못했을 때의 죄책감이 몰려온다.

아이들은 이현에게 힘든 일이 있어도 견뎌내게 하는 버팀목이었다. 아이들은 가족이 없는 이현에게 가족이 되어주었다. 친구가 없는 이현에게 친구가 되어주었다. 이현은 끝까지 아이들과 함께하고 싶었다. 그 섬을 도망치듯 떠나고 싶지 않았다. 아이들만 두고 행복도를 떠나고 싶지도 않았다. 무책임한 교사가 되고 싶지 않았다.

"하지만 행복도에서 지키고 싶은 것들이 있어."

이현은 다리를 편다.

"그게 뭔데?"

"아이들. 아이들이랑 약속했어. 내년까지 함께 있기로 말이야. 내가 떠나면 많이 슬퍼할 거야."

나연은 처음으로 한숨을 내쉰다.

"네가 이렇게 힘들어했다는 걸 아이들이 알면 네가 섬을 떠나는 것보다 더 슬퍼할 거야. 이현아, 너무 좋은 교사가 되려고 하지 마. 그냥 너로 살아. 그게 너한테는 더 행복할 것 같아."

나연의 말에는 진심이 있다. 그리고 이현의 손을 잡는다.

이현은 침대에 엎드린다. 목 놓아 우는 소리가 호텔 방을 채운다. 나연은 이현의 등을 토닥여준다. 얼마나 울었을까. 이현은 고개를 들어 창밖을 본다.

해는 이미 졌고, 밖은 어두컴컴하다. 도시의 야경이 밝게 빛난다. 하늘에는 상현달이 두 사람을 지켜보고 있다. 나연은 이현을 힘껏 안아준다.

"아직도 아이들에게 못 해준 게 많아."

"넌 충분히 좋은 선생님이었어. 죽을 것 같은 순간에도 아이들을 먼저 걱정하고 있잖아."

나연이 이현의 등을 쓸어준다. 그 말이 마음의 음지 한구석을 따뜻하게 채운다. 이현의 마음이 조금 홀가분해진다.

"그러니 이제는 더 좋은 교사가 돼야 한다는 마음을 내려놔도 돼."

나연이 포옹을 푼다. 이현이 진정될 때까지 기다린다.

"행복도를 떠나면 난 이제 어디로 가야 할까?"

이현이 나연에게 묻는다.

행복도에 처음 발령받았을 때도 그랬다. 어둠 속을 혼자 걸어가는 것같이 막막했다. 그 어둠은 깊이를 모를 정도로 깊다. 목적지도 방향도 없다. 함께할 사람도 없다.

나연은 고민한다. 자신은 답을 갖고 있지 않다.

"그건 네가 어떤 길을 걷고 싶냐에 따라 달린 일이지."

나연이 고심 끝에 대답한다.

"난 내가 어디로 가고 싶은지도 어디로 가야 할지도 모르겠어. 그냥 여기 주저앉아서 평생 울고 싶어."

"그래, 그렇겠다. 오늘은 아무 생각하지 말고 여기서 푹 쉬어."

나연은 이현의 침대를 펴준다. 그리고 침대에서 일어난다.

"행복도와 다르게 여기는 안전한 곳이니까. 나는 내일 아침에 다시 찾아올게."

나연은 이현을 보며 웃는다.

"알겠어."

이현도 눈물로 얼룩진 얼굴로 미소 짓는다. 그리고 샤워 후 단추 있는 남색 잠옷으로 갈아입고 침대에 눕는다. 나연은 이현이 자는 걸 확인하고, 호텔 방 불을 끄고 나간다.

그다음 날, 아침.

"이현아."

나연의 목소리다.

이현은 눈곱 끼인 눈을 뜨려고 한다. 온몸에는 힘이 없고 쑤신다. 하지만 오랜만에 깊은 잠을 잤다. 몸의 긴장이 풀리면서 피로도 같이 풀린다.

"잠은 잘 잤어?"

나연이 이현을 흔들어 깨운다.

이현은 껌뻑껌뻑하며 눈을 뜬다. 침대 끝에 앉은 나연이 이현을 바라보고 있다.

"덕분에."

정신을 차린 이현은 침대에 상체를 세워 앉는다. 그리고 하품 뒤 눈을 비빈다.

"다행이다."

나연은 침대에서 일어난다. 커튼을 걷는다. 통유리창으로 아침햇살이 한없이 듬뿍 들어온다. 나연은 화장기 없는 모습이다. 흰 블라우스에 청바지를 입고 있다. 어제 이현이 입은 옷이다. 이현은 기분이 이상하다. 정말 자기와 똑같은 사람이 한 명 더 생긴 것 같다.

"언니가 왜 내 옷을 입고 있는 거야?"

이현의 눈에는 궁금증과 놀라움이 반쯤 섞여 있다.

"어젯밤 내내 생각했어. 내가 널 위해서 뭘 해줄 수 있는지 말이야. 내가 준비한 건 두 가지야. 첫 번째는 아침을 챙겨왔어."

나연은 탁자로 고개를 돌린다.

"어제부터 아무것도 못 먹었잖아. 뭐라도 먹어야지."

나연은 이현의 손을 잡고 탁자로 걸어간다. 이현은 비몽사몽 의자에 앉는다. 샐러드와 햄 치즈 샌드위치가 있다. 샐러드에는 크림치즈와 견과류가 같이 섞여 있다. 발사믹 소스 향이 코끝을 자극한다.

이현은 배를 문지른다. 홀쭉하다. 어제 아침부터 아무것도 먹지 못했다. 이현은 포크를 들어 방울토마토 하나를 집어 입에 넣는다. 방울토마토 과즙이 입안에 가득 찬다.

나연은 이현의 맞은편 의자에 앉는다.

“아무리 생각해도 이런 상태로는 네가 행복도에 들어가는 건 무리야.”

나연은 긴 머리를 머리끈으로 묶는다.

“그래서?”

이현이 샐러드를 포크로 집어넣으며 묻는다. 아삭한 양상추와 부드러운 크림치즈가 입안에서 어우러진다. 맛있다.

“내가 대신 그 섬에 들어갈게. 네가 괜찮아질 때까지만이야.”

나연이 이현을 바라보며 말한다.

“그건 안 돼. 언니까지 위험해지는 일이잖아. 이건 어디까지나 내 일이야. 몸이 아프면 병가를 내고 쉬면 돼. 이렇게 힘들 때 내 얘기를 말없이 들어주고, 갈 곳도 없는 나를 하룻밤 재워준 것도 충분히 고마운 일이야.”

이현이 포크를 내려놓는다.

“그 학교 사람들한테 어디가 어떻게 아프다고 설명할 건데? 정신과도 갈지 말지 고민하고 있는데 숨이 안 쉬어져서 학교에 못 나오겠다는 너의 말을 그 사람들이 믿어줄까?”

나연이 팔짱을 낀다.

“믿지 않는다고 해도 그게 사실인걸. 언니가 내가 아니란 걸 들키는 날에는 내가 병가를 낸 것보다 더 큰 일이 될 거야."

이현이 티슈로 입가를 닦는다.

"난 들키지 않을 자신 있어. 머리만 자르면 너인걸."

"공무원이 아닌 사람이 공무원 사칭하는 거야. 그건 엄연한 범죄야."

"어떤 범죄든 들키지 않으면 무죄야. 이번 기회에 너를 그렇게 만든 그 새끼들 낯짝 좀 보자."

이현은 나연의 눈을 가만히 바라본다. 나연의 눈에는 분노가 가득하다. 이현은 나연의 마음이 고마우면서도 과분하다고 느낀다. 이현의 삶에서 아무것도 아닌 나를 걱정해 주고, 내가 당한 일에 같이 분노해 주는 사람은 없었다. 자신을 버린 부모도 그렇지 못했다. 이런 이야기를 잘 들어주고 공감했던 사람도 없었다. 상현을 제외하고는.

"내가 뭐라고 이렇게까지 하는 거야?"

"너는 하나뿐인 내 동생이니까."

나연은 가슴에 손을 얹고 말한다.

"그러니 이건 내 일이기도 해. 나랑 똑같이 생긴 너의 영상이 어디에 돌아다닐 수도 있는 거잖아."

나연은 주먹을 세게 쥔다. 주먹이 부들부들 떨린다.

이현은 결국 나연의 제안을 받아들인다. 건강이 회복될 때까지만이라는 조건을 달면서.

나연은 이현에게 자신의 휴대폰을 건넨다.

“내 휴대폰에 도청이 되도록 설치했어. 사람들이 너에게 상처를 주는 순간에도 너는 너를 지켜야지. 너에게 상처를 주는 사람도 너 자신뿐이야. 내가 무슨 일이 생기면 그땐 네가 날 지켜줘.”

나연이 웃으며 말한다.

이현은 대답을 망설인다. 나 자신도 지키지 못했는데 또 다른 누군가를 지킬 수 있을까. 이현은 나연을 바라본다. 나연이 대답을 기다리고 있다.

“알겠어.”

이현은 대답한다. 두 사람은 휴대폰을 바꾸고, 캐리어를 바꾼다.

“행복도에서 네가 살 다른 집도 알아봐 놓을게. 최대한 빨리. 잘 지내고 있어.”

나연의 마지막 말이다. 그리고 이현의 낡은 운동화를 신는다. 신발장에는 굽 높은 보라색 구두만 남는다. 그렇게 이현은 보라색 구두의 새로운 주인이 된다.

<절벽 끝에 서 있는 너의 뒤에 내가 있을게>

"그러니까 지금까지 한 말을 요약하면... 두 사람은 일란성 쌍둥이고, 태어날 때 고아원에 맡겨진 자매라는 거죠?"

"네."

이현이 고개를 끄덕인다.

"그러다 김나연 씨가 입양을 가서 떨어져 지내다가 어른이 돼서 연락이 닿았다. 섬에서 정신적으로 힘든 일이 있었고, 두 사람이 김나연 씨 부모님이 운영하는 호텔에서 만났다. 정이현 씨가 행복도에서 있었던 일을 언니인 김나연 씨에게 말했고, 김나연 씨가 정이현 씨 대신 행복도에 들어갔다. 여기까지 사실인가요?"

"네."

"어휴."

이 형사는 한숨을 내쉰다.

"이 말을 형사인 제가 어떻게 믿어야 하죠?"

이 형사는 머리를 벅벅 긁는다. 뭐가 꼬여도 많이 꼬였다.

이현은 가방에서 검은 봉지를 꺼낸다.

"무드 등이에요. 이 안에 몰래카메라가 있었고요. 그때 당시에 제가 썼던 일기장도 그대로 갖고 있어요."

"그 카메라에 어떤 영상이 찍혔는지도 제 휴대폰에 있습니다."

상현이 말한다.

"그리고 언니가 무슨 일이 생길지 모르니 도청을 부탁했었어요."

이현이 말한다.

"도청."

이 형사는 얼굴을 찌푸린다.

"도청한 내용은 여기에 있어요."

이현이 나연의 휴대폰을 꺼낸다.

"도청한 내용을 확인하면 김나연 씨가 어떻게 죽었는지도 알 수 있겠군요."

호텔을 떠난 토요일 오후 나연은 머리를 자르고, 행복도에 입도한다. 그리고 행복초등학교로 향하지 않고, 부두 근처의 민박집에 짐을 푼다. 나연은 진포리 해변으로 향하는 도로를 따라 걷기 시작한다. 이현이 자주 걷는 길이라고 했다. 걸으며 나연은 섬 지리를 익혀야겠다고 생각한다. 이현에게 아무 일 없을 거라고 호언장담했다. 하지만 이 섬에서 안전하게 나올 수 있을지 자신이 없었다.

그때 하얀 승용차 한 대가 나연의 등 뒤에서 달려온다. 자동차는 중앙선도 자기 마음대로 침범하며 이리 갔다 저리 갔다 한다. 마치 술에 취한 사람이 운전하는 자동차 같다. 반대편에서 달려오는 차가 있었다면 큰 사고가 났을 것이다. 중심을 못 잡고 속도를 내던 자동차는 나연의 코앞에서 급정거하고 멈춘다.

"끼-이-이-익!!"

나연은 급정거 소리에 귀를 막는다. 그리고 길을 피해 선다. 귀에 꽂은 이어폰을 뺀다. 운전을 이따위로 하다니. 나연은 흰 승용차 운전석을 노려본다.

운전석에서 어떤 여자가 내린다. 사·오십 대의 여자는 긴 머리를 어깨로 넘긴다.

"아줌마, 사고 날 뻔했잖아요."

나연이 목 끝까지 차오르는 욕을 한 번 삼킨다.

“아줌마? 부장한테 어디 막 돼먹은 말버릇이야!”

여자가 나연에게 다가온다. 여자의 얼굴이 벌겋다. 술 냄새가 물씬 풍긴다. 나연은 의도적으로 숨을 참는다. 술 냄새가 싫다.

‘부장?’

나연은 얼굴을 찌푸린다. 이 아줌마가 부장이었어? 이현은 행복초등학교에 여자 부장이 한 명뿐이라고 했다. 이 사람이 교무부장이다.

그때 조수석에서 문이 열린다. 젊은 남자다.

“도망간 줄 알았더니 다시 왔네? 정이현 선생님.”

남자가 나연을 보고 말한다. 남자는 검은 안경을 끼고 있다. 남자의 얼굴도 술에 취해 벌겋다.

나연은 서늘함을 느낀다. 이 사람도 교사인가. 행복초등학교에 젊은 남자 교사도 한 명이라고 했다.

“잠깐 얘기 좀 하자.”

교무부장이 나연에게 다가간다. 눈에는 핏발이 서 있다.

나연은 흠칫 뒷걸음을 친다. 나연의 뒤에는 행복도 절벽이 길게 뻗어 있다. 절벽 입구는 양쪽 기둥이 있고, 기둥 사이는 긴 체인으로 바닥에 늘어져 있다. 큰 경고판이 기둥 옆에 서 있다.

<경고>

절대 들어가지 마세요. 위험합니다.

세 사람은 경고판을 보지 못한다.

나연은 체인을 밟고 지나 절벽으로 들어선다.

"그 카메라는 어쨌어? 무드 등에 달려있던 거 말이야."

호진이 나연에게 다가간다.

"첫마디가 고작 그거니? 너희는 양심이란 게 있어?"

나연은 주먹을 쥔다.

"말대답하지 말고 묻는 말에나 대답해."

교무부장이 나연에게 다가간다.

"어떻게 했을 것 같아?"

나연이 묻는다.

"경찰에 신고하지 말고, 돌려줘. 그러면 영상은 어디에 퍼트리지는 않을게."

호진이 손을 뻗는다. 나연은 주먹을 더 세게 쥔다.

"처음부터 그런 짓을 하지 말았어야지."

나연은 입술을 세게 문다.

"휴대폰에 있는 거야?"

호진은 나연의 휴대폰을 물끄러미 바라본다. 나연의 말은 안 들린다.

“왜? 여기에만 증거가 있을 것 같아?”

나연은 손에 든 휴대폰을 바지 뒷주머니에 넣는다.

“다른 곳에도 많아.”

나연은 교무부장을 바라본다.

“역시, 그럴 줄 알았어. 너지? 협박한 사람.”

교무부장이 묻는다.

“학부모한테 돈 받고.”

나연이 교무부장을 보며 말한다.

“학생도 때리고”

이번엔 김호진을 보며 말한다.

“이번엔 음주 운전까지. 참, 그런 일을 저지르고도 계속 교사로 살 거라고 생각했어? 너넨 이제 끝이야.”

나연의 말이 끝나기 무섭게 교무부장은 나연의 왼쪽 뺨을 때린다. 나연은 뺨을 감싸 쥔다.

“넌 그 증거를 갖고도 이 섬에서 살아서 나갈 줄 알았어? 지금이라도 증거들 다 내놔. 그럼 없었던 일로 해줄 테니까.”

교무부장이 말한다.

‘우리는 피해자고, 그 전으로 돌아갈 수 없어.’

나연은 속으로 생각한다. 분명 이현인 척 행복도에서

조용히 지내기로 했는데 이미 해선 안 될 말들을 많이 해 버렸다. 이게 잘한 걸까. 하지만 더 참을 수가 없다. 참고 살다가는 이현처럼 속병이 될 것이다.

"나 협박한 거 너잖아. 내가 모를 줄 알았어? 네가 날 신고하면 너는 교사로 살 수 있을 것 같아? 동료 교사를 신고한 신규교사. 내부고발자로 찍혀서 어느 학교로 가도 신고했다는 꼬리표를 어디 한 번 평생 달고 살아봐."

교무부장의 나연의 어깨를 친다. 나연이 휘청거린다.

"함부로 말하지 마. 꼬리표를 평생 달고 살든 교사를 그만두든 이렇게 참으면서는 못 살아."

나연은 주머니에서 접이식 식칼을 뺀다. 그리고 마구 휘젓는다. 두 사람은 주춤한다. 호진은 칼을 빼앗으려고 달려든다. 하지만 빼앗지 못한다. 나연은 절대 칼을 손에서 놓지 않는다. 세 사람은 조금이라도 발을 헛디디면 떨어질 것 같은 절벽 위다.

호진은 나연이 휘두르는 칼을 피해 모래에 넘어진다. 나연은 바닥에 쓰러진 호진에게 다가간다. 그리고 뒤에서 목을 조르고 다른 팔로 호진의 목에 칼을 들이댄다.

"더 가까이 오지 마. 조금이라도 움직이면 죽여버릴 거니까."

나연은 교무부장을 보며 분명히 말한다.

“그래, 같이 죽자. 혼자서는 못 뒤지겠으니까 다 같이 죽자고.”

나연은 더 세게 호진의 목을 조른다. 이현이 호진에게 당했던 것처럼. 호진은 숨이 막힌다.

저년이 미친 년이다. 교무부장은 나연을 보며 생각한다. 미치지 않고야 할 수 없는 짓이다. 내가 알던 정이현이 아니다. 평소의 이현과는 완전히 다르다. 평소의 이현은 밟으면 말없이 밟히고, 마음대로 해도 아무 말도 못 하던 만만한 사람이었다.

교무부장은 마음에 쌓아온 공든 탑이 무너지는 소리를 듣는다. 30년 가까운 교사 경력, 피, 땀, 눈물 흘리며 쌓아온 승진 점수, 매일 초과근무를 달며 버려왔던 여유 있는 삶과 건강. 행복도에 들어온 것도 승진 점수를 위해서였다. 이제 한 걸음만 더 가면 교감이 코앞이다. 돌 하나만 더 얹으면 완성할 공든 탑이었다. 저 아무것도 아닌 년 때문에 그 공든 탑이 무너지게 둘 수는 없다. 내가 어떻게 만든 탑인데 지켜야 한다.

“이것 좀 놓고 얘기해.”

호진은 울먹이며 말한다.

“엄마, 엄마, 무서워.”

호진은 엄마를 찾기 시작한다. 그럴수록 칼이 목에 더

세게 칼이 들어온다. 얇은 피가 흘러나온다. 붉고 진한 피다. 흰 티셔츠의 목 부분이 피로 젖는다.

"잘못했습니다. 한 번만 용서해 주세요. 목숨만은 살려 주세요."

교무부장은 절벽 위에서 무릎을 꿇는다.

나연은 비릿한 피 냄새를 맡는다. 이 죽음의 소용돌이에서 어찌해야 할까. 이대로 이 남자도 죽이고, 나도 죽을까. 그것조차도 이 두 사람에게는 편안한 죽음이다. 이왕이면 조각조각 잘라서 죽여버리고 싶다. 최대한 고통스럽게.

나연은 살면서 한 번도 사람을 죽여보고 싶다고 생각한 적이 없었다. 실제로 사람을 죽여본 적도 없다. 내가 정말 사람을 죽일 수 있을까. 죽이고 싶다는 마음으로 누구나 망설임 없이 칼로 사람을 벨 수 있는 것은 아니다. 생각을 행동으로 옮기는 것은 다른 문제다.

무엇보다 이 두 사람이 이렇게 쉽게 사과할 줄은 몰랐다. 누구나 실수도 잘못도 할 수 있다. 한 번쯤은 기회를 줘도 되지 않을까. 그 기회를 줬을 때도 결과가 같다면...

"옛날에는 다 그랬어. 진짜 억울해."

영주는 무릎을 꿇은 자세로 빌며 말한다.

"나 건들지 마. 그때는 더 참지 않을 거니까."

"알겠습니다. 정말 죄송합니다. 그만 풀어주세요."

교무부장이 손을 비비며 말한다.

눈이 감긴 호진은 실신 상태다. 몸에 힘이 없고, 벗어나려는 노력도 하지 않는다.

"아줌마가 먼저 이 절벽에서 떠나."

나연이 말한다.

교무부장은 일어나서 먼지 묻은 바지를 턴다. 무릎을 꿇고 있을 때 못 봤던 절벽 너머의 바다가 보인다. 노을이 바다를 주황빛으로 흠뻑 물들이며 지고 있다. 절경이다. 그리고 승용차가 있는 곳으로 뒤를 돌아 걸음을 옮긴다.

나연은 멀어져가는 교무부장의 뒷모습을 보며 몸에 힘이 풀린다. 호진의 목을 조이던 팔을 푼다. 나연은 동아줄처럼 쥐던 식칼을 바닥에 떨어트린다. 다리도 힘이 풀리면서 바닥에 손을 짚고 주저앉는다. 심장이 조여온다. 무리한 스트레스를 받으면 생기는 증상이다. 짧은 시간에 많은 기력을 쏟았다. 이마에 땀이 맺힌 나연은 거친 숨을 내쉬면서 진정하려고 한다.

죽다가 살아난 호진은 정신을 차린다. 죽을 줄 알았는데 살았다. 호진은 주저앉은 나연에게 다가간다.

"사과할 기회를 주셔서 정말 감사합니다."

호진은 나연에게 고개 숙여 인사한다. 그리고 남은 눈물을 대충 닦는다.

순간 호진의 눈빛이 싸하게 변한다. 그리고 식칼을 줍는다.

"사과를 믿었어? 난 널 좋아해서 몰카도 설치한 거야."

호진이 나연에게 다가간다. 공포감을 느낀 나연은 앉은 자리에서 뒷걸음질 친다. 몇 걸음만 더 가면 절벽에서 떨어진다는 것도 모른 채. 호진은 나연을 절벽 끝으로 몰아세운다. 그리고 왼손으로 나연의 멱살을 잡고 오른손으로 나연의 목에 칼을 들이민다.

"난 좋았는데 넌 아니었나 봐. 대답해. 아니었어?"

호진은 절벽 끝에 걸터앉은 나연에게 묻는다.

나연은 대답할 힘도 저항할 힘도 없다. 심장이 손으로 쥐어짜는 것처럼 고통스럽다. 나연이 반응이 없자 호진은 나연의 멱살을 분풀이처럼 흔든다. 나연의 머리가 힘없이 흔들린다.

"죽기 전에는 이 섬에서 절대 못 나가. 너만 사라지면 내가 한 짓은 이 세상 사람 아무도 몰라."

교무부장이 경고판을 지나 절벽을 벗어났을 때다.

"쿵!!"

그건 지진 같은 큰 진동 같았고, 폭탄이 떨어지는 굉음이었다. 차를 타려던 교무부장은 걸음을 멈춘다. 그리고 절벽 쪽으로 고개를 돌린다. 표정이 없는 교무부장의 머리카락은 땀으로 눌려 있다. 무언가 일이 생겼다.

절벽 위에 있는 사람은 호진뿐이다. 나연이 보이지 않는다. 등을 진 호진은 절벽 끝에서 앉아있다. 얼마만의 시간이 지났을까. 호진은 자리에서 일어난다. 두 사람은 눈이 마주친다. 호진의 눈에는 두려움이 가득하다.

두 사람은 차를 타고 나연이 절벽에서 떨어진 곳으로 간다. 나연을 찾는 것은 어렵지 않았다. 절벽 바로 아래는 행복도 숲이기 때문이다. 노을이 진 숲은 어둑어둑해져 인적은 없었다.

의식을 잃은 나연의 머리에서 흥건한 피가 흐르고 있다. 무거운 공포감이 두 사람의 가슴을 누른다. 예상한 일이지만, 죽은 사람을 실제로 보는 것은 완전히 달랐다. 둘 중 더 놀란 사람은 호진이다. 눈에 초점을 잃은 호진은 그 자리에 멍하니 주저앉았다.

어디선가 풀벌레 소리가 들린다. 교무부장은 나연에게 더 가까이 다가간다. 그리고 나연의 어깨를 흔들어 의식이 있는지 확인한다. 의식이 있다면 있는 대로 없다면 없는 대로 문제다. 눈이 감긴 나연은 아무 반응도 의식도 없다. 마치 자는 사람 같다.

교무부장은 눈을 굴리며 상황판단을 한다. 어떻게 해야 이 죽음의 절벽에서 빠져나갈 수 있을까. 그리고 망연자실한 채 앉아있는 호진의 어깨를 잡는다.

"내 말 지금부터 잘 들어, 우리가 절대 죽이지 않았어. 자기 혼자 떨어져 죽은 거야. 알겠어?"

교무부장은 정신 차리라는 듯이 호진의 눈을 똑바로 보고 말한다. 호진은 말없이 고개를 끄덕인다. 우리가 죽이지 않았다. 자기 혼자 절벽에서 떨어져 죽었다. 호진은 그렇게 스스로 되새긴다.

나연의 휴대폰은 나연의 근처에 떨어져 있었다. 이 모든 대화와 상황은 휴대폰을 통해 도청되고 있었다. 영주는 그 작고 빨간빛이 들어오는 휴대폰을 주워 챙긴다. 두 사람은 그렇게 빠르게 행복도 숲을 떠난다.

흰 승용차는 도로를 휘청휘청 달린다. 창문이 내려지고, 창문 밖으로 휴대폰 하나가 툭 던져진다. 휴대폰은 바다 깊이 잠겨 들어간다. 이래서 바다가 참 좋다고 두 사람은 생각한다.

그 날밤, 점점 굳어가는 나연의 손가락에는 하 부장의 다이아몬드 반지가 끼워진다. 그 손바닥에는 A4 종이 한 장이 쥐어진다. 힘들어서 죽고 싶었다는 유서다.

<방관자>

4시 30분, 퇴근 시간이다. 보건교사는 보건실을 정리하고 중앙 현관으로 걸어 나온다. 오른손에는 검은 장우산이 들려 있다. 오늘 하루 종일 비가 온다는 예보 때문이다. 보건교사는 현관문을 연다. 11월 말의 겨울바람이 가차 없이 지나간다. 패딩 점퍼 안으로 찬기가 들어오지 못하게 몸을 최대한 웅크린다.

11월 초부터 갑자기 추워졌다. 지난주에는 낮은 기온으로 바닷물이 얼어 배가 결항 됐다. 보건교사는 한쪽 구석에 학생 가방들이 모여 있는 중앙 현관 계단을 내려오며 하늘을 본다. 흐린 하늘에는 검은 먹구름이 잔뜩 끼어 있다.

곧 비가 올 것 같다. 화단의 나무들은 앙상한 나뭇가지를 그대로 드러내고 있다. 마른 나뭇잎 하나만이 나뭇가지에 겨우 매달려 있다.

학교 놀이터에는 아이들이 놀고 있다. 학교에서 집이 먼 아이들은 방과 후 수업을 마치고 노란 통학버스를 기다린다. 신나게 그네를 타고 술래잡기를 하는 아이들은 입김 나오는 추위도 먹구름 낀 흐린 하늘도 신경 쓰지 않는 듯했다.

영원이가 도연이를 끝까지 쫓아간다.

"잡았다!"

영원이는 도연이의 어깨를 덥석 잡고는 잽싸게 도망간다. 술래가 된 도연이는 아차, 싶지만 이내 영원이를 잡으러 쫓아간다. 영원이는 잡히지 않으려고 놀이터 밖을 벗어난다.

"영원아, 이제 관사에 들어가자."

보건교사는 자신에게 달려오는 딸을 보며 말한다. 영원이는 냉큼 엄마 뒤에 숨는다. 영원이를 쫓아온 도연이는 보건교사 앞에 멈춰 선다. 영원이는 얼굴만 빼꼼 내밀고, 도연이에게 메롱, 혀를 내민다. 도연이는 시무룩해진다.

"저기 경찰차가 오고 있어!"

정글짐에 올라간 지석이가 교문 쪽을 가리킨다. 보건교사는 경찰차라는 말에 흠칫 놀란다. 경찰차 한 대가 사이렌을 울리며 교문으로 들어서다가 중앙 현관 앞에서 멈춰 선다.

퇴근한 호진이 마침 중앙 현관으로 걸어 나온다. 경찰들은 기다렸다는 듯이 경찰차에서 내린다.

"김호진 씨 되시죠?"

"그런데요?"

호진은 어리둥절한 눈으로 형사들에게 되묻는다.

"인천 중부 경찰서에서 나온 이종훈 형사라고 합니다."

이 형사가 바지 주머니에서 공무원증을 꺼내 보여준다.

"잠깐 경찰서로 가주셔야겠습니다."

이 형사는 공무원증을 집어넣는다.

"무슨 일로요?"

호진이 형사 두 명을 번갈아 보며 묻는다.

보건교사와 아이들은 호진과 형사들이 이야기 나누는 모습을 지켜보고 있다. 무슨 일로 경찰이 또 학교에 온 걸까. 보건교사는 참고인 조사를 받았던 기억이 다시 떠오른다. 검은 먹구름처럼 어두운 공포감이 몰려온다.

이 형사 옆에 있던 다른 형사가 호진에게 수갑을 찬다.

"아, 이게 무슨 말도 안 되는 소리야, 저는 그런 적이 없다고요!!"

저항하는 호진을 형사들이 팔을 붙잡고, 경찰차에 싣는다.

놀란 보건교사는 딸아이의 눈을 가린다. 영원이가 보면 안 될 것 같다. 용건이 끝난 경찰차는 방향을 돌려 행복초등학교를 떠난다.

"선생님, 경찰 아저씨가 김호진 선생님을 경찰차에 태웠어요."

도연이가 보건교사에게 말한다.

"선생님, 경찰 아저씨가 왜 김호진 선생님에게 수갑을 차요?"

지석이가 보건교사에게 묻는다. 보건교사는 얼어붙은 사람처럼 아무 대답도 하지 못한다.

"두-뚝. 두-뚝".

참고 참았던 비가 오기 시작한다. 소나기처럼 굵은 빗방울이 쏟아진다.

"앗, 비다!"

놀이터에서 놀던 아이들이 비를 피해 경찰차가 떠난 중앙현관으로 모여든다. 노란 통학버스를 타는 아이들은 현관에 둔 자기 가방을 챙긴다.

"엄마, 우산."

영원이가 자기 눈을 가린 엄마의 손을 내린다. 보건교사는 그제야 손에 든 검은 우산을 활짝 편다. 빗방울이 우산 위에 더 선명하게 내려앉는다. 모녀가 쓰기에 넉넉한 우산이다. 보건교사는 왼손으로 딸의 손을 잡는다. 작고 따뜻하다. 모녀가 관사로 발걸음을 돌릴 때 학교 후문 앞에서 있는 유나를 본다.

유나는 우산이 없는지 쏟아지는 폭우를 곤란한 표정으로 보고 있다. 관사가 가깝다고, 뛰어 들어가도 옷이 젖을 것 같다.

"영원아, 우리 유나 선생님도 같이 갈까?"

엄마가 딸에게 묻는다. 딸이 엄마를 보며 말없이 고개를 끄덕인다. 모녀는 유나에게로 다가간다.

"선생님."

"어? 선생님, 안녕하세요."

유나가 말한다.

보건교사가 유나에게도 우산을 씌워준다. 검은 우산은 세 사람으로 꽉 채워진다.

"오늘 저의 집에서 저녁 같이 드실래요?"

보건교사가 유나에게 묻는다.

"네, 좋아요."

유나는 흔쾌히 대답한다.

두 사람은 저녁으로 로제 파스타를 먹는다.

"선생님 관사에 처음 와봐요. 관사는 살만하세요?"

유나가 파스타를 한 입 먹고 묻는다.

"네, 여기 처음 왔을 때 성원이가 이런 관사에서 살아야 한다니 하면서 울었거든요. 좁고 습한 화장실에 벌레투성이여서요. 그래도 아이들이 감사한 마음을 가졌으면 좋겠어요."

"왜요?"

"제가 어렸을 때는 더 좁고 낡은 집에서도 살았거든요. 아이들은 그런 경험이 없어서 힘들어했던 것 같아요. 지금은 성원이도 행복도에서 곤충채집을 마음껏 할 수 있어서 좋아해요."

"다행이네요."

"선생님은 요즘 잘 지내고 계세요?"

보건교사가 유나에게 묻는다.

"아니요, 요즘 우울하게 지내고 있어요."

유나가 보건교사의 눈을 피하며 말한다.

"무슨 일 있어요?"

"무슨 일이 있다기보다는…"

유나는 잠시 생각한다.

"행복도에 있으니까 그런 것 같아요. 지난주 주말에 배도 안 뜨고, 관사에 혼자 있는데 할 게 없고, 시간이 멈춘 것 같았어요. 위염도 스트레스를 못 푸니까 더 심해지는 것 같고요."

"이번 주는 꼭 배가 떴으면 좋겠어요."

"선생님은 별일 없으시죠?"

유나가 보건교사에게 묻는다.

"저는..."

보건교사는 딸을 힐끗 쳐다본다. 영원이는 편지를 열심히 쓰고 있다.

"독박육아가 힘들어요. 남편이 같이 도와주면 좋은데 섬 밖에서 회사 다니느라 바쁘고, 주말에 배도 안 뜨면 못 보니까요. 육아는 온전히 제 몫이에요."

"엄마, 나 편지 다 썼어!"

영원이는 다 쓴 편지를 엄마에게 자랑한다.

"그래, 잘 썼네."

보건교사는 딸의 머리를 쓰다듬는다.

"이현 선생님 만나면 드릴 거야."

"그래, 영원아. 편지 잘 보관했다가 언젠간 드려."

보건교사는 익숙한 일인 것처럼 말한다. 영원이는 편지를 들고 방으로 들어간다. 방에는 성원이가 책상에 앉아 숙제하고 있다.

"그래도 행복도에서 유일한 또래 여자 선생님이 이현 선생님이었는데 이제 안 계시니까 더 우울해지는 것 같아요."

"저..."

보건교사는 무슨 말을 할지 망설인다.

"다른 선생님께는 비밀인데 아까 퇴근할 때 김호진 선생님이 경찰에 붙잡혀 가는 걸 봤어요."

보건교사는 아이들이 들을까 봐 목소리를 낮춘다.

유나는 놀란 입을 틀어막는다.

"이현 선생님 사건과 관련이 있는 거겠죠?"

보건교사가 조심스럽게 묻는다.

"가능성이 없진 않죠. 경찰이 아무 이유 없이 사람을 데려가지 않았을 테고, 경찰이 데려간 사람이 그분 혼자인가요?"

"그게 무슨 말이에요?"

보건교사가 어리둥절한 표정으로 되묻는다.

"뭔가 더 있을 것 같아요. 다른 증거든 범인이든, 이게 시작일 수도 있어요."

망설이던 유나는 말을 아끼며 말한다.

"타-탁. 타-탁"

창문 밖은 여전히 소나기가 내리고 있다.

둘은 말없이 파스타를 먹는다. 입을 먼저 연 건 유나다.

"돌이켜보면 저는 방관자예요. 나이도 어리고, 경력도 없는 제가 할 수 있는 게 없다고 생각했어요. 하지만 지금 와서 생각해 보면 이현 선생님 이야기라도 잘 들어드릴걸, 싶어요. 이현 선생님이 돌아가시고 나서 가끔 그 선생님이 꿈에 나와요. 꿈속에서 혼자 서럽게 울고 있어요."

"저도 정이현 선생님이 그렇게 되기까지 도움이 못 됐어요. 힘들면 녹음해서 신고하라는 이야기만 했지, 회식에서 아무 말 없이 듣고 있던 사람은 저였어요. 제가 한마디라도 했으면 지금과는 달라졌을까요. 기쁜 건 함께하고 힘든 건 나누라고 있는 게 동료인데 지금까지 아무것도 하지 않은 게 후회가 돼요."

보건교사가 포크를 내려놓으며 말한다. 입맛이 없다.

"여기가 정상적인 학교일까요?"

유나가 묻는다.

"네?"

"한 명은 죽고, 다른 한 명은 경찰에 잡혀가고, 이게 언제 끝날지 모른다는 게요."

"정상적인 건 아니죠. 여긴 섬 이름을 잘못 지었어요. 왜 행복도일까요? 전혀 행복하지 않아요."

보건교사가 고개를 저으며 말한다.

"저도 내년엔 꼭 행복도를 떠나고 싶어요."

"네, 다음엔 행복도 밖에서 파스타를 먹어요."

보건교사가 휴지로 입을 닦는다.

두 사람이 파스타를 먹은 그다음 날 새벽, 행복도 절벽에서 총소리가 크게 울린다.

<메리 크리스마스>

2019년 12월 25일 크리스마스다. 상현은 아이들을 자취방에 초대한다. 바닥에 따뜻한 러그가 깔려있다. 러그 위에는 아이들과 상현 그리고 이현이 동그랗게 빙 둘러앉는다.

"선생님, 여기에 뭐 쓸까요?"

성원이가 노란색 종이와 펜을 들고 묻는다. 노란색 종이에는 짧은 끈이 달려있다.

"이 종이에 크리스마스 소원 한가지씩 써보자. 다 쓰면 선생님이 저 크리스마스트리에 소원을 매달아 줄게."

상현이 크리스마스 나무를 가리킨다. 영원이가 바로 옆에 있는 트리를 본다. 작은 선물이 달린 트리는 알록달록한 불빛으로 빛난다.

"네! 진짜 뭐든 써도 돼요?"

도연이가 묻는다.

"그럼"

이현이 고개를 끄덕인다.

"이 소원 쓰면 정말 산타할아버지가 들어줘요?"

지율이가 묻는다.

"응, 아무리 이루어지지 않을 것 같은 소원이어도 많이 쓰고 간절히 바라면 정말 그렇게 이루어진대."

이현이 웃으며 말한다. 아이들은 어떤 소원을 써야 할지 고민하기 시작한다. 성원이는 펜을 입에 가져다 댄다. 도연이는 머리를 긁적인다. 영원이와 지율이는 종이에 바로 소원을 쓴다.

"소원 다 썼어요!"

서진이가 말한다.

"무슨 소원 썼는지 돌아가면서 얘기해 보자."

상현이 말한다.

"제 가족이 건강했으면 좋겠어요."

서진이가 종이를 보며 말한다.

"행복한 겨울 방학을 보냈으면 좋겠어요."

성원이가 말한다.

"게임도 많이 하고 싶고, 그림도 많이 그리고 싶어요!"

도연이가 말한다.

"선생님과 바닷가에서 놀고 싶어요."

영원이가 이현을 보며 말한다.

"이건 오늘 이루어질 것 같은데?"

이현이 웃는다.

"달고나를 만들고 싶어요."

지율이가 말한다.

"왜?"

상현이 묻는다.

"재밌어요."

"선생님은 무슨 소원 썼어요?"

영원이가 묻는다. 아이들은 이현을 바라본다.

"선생님은 정이현으로 살아갈 수 있게 해달라고 썼어."

"그게 무슨 말이에요?"

서진이가 정말 궁금한 듯이 묻는다.

"선생님, 정이현 선생님 아니에요?"

이현과 아이들이 웃는다.

"선생님은 쓰고 있는 소설을 완성해달라고 썼어."

상현이 솔직하게 말한다.

"와, 거기에 저희도 나와요?"

성원이 신기한 듯이 묻는다.

"응."

"나중에 완성되면 보여주세요!"

도연이가 기대에 찬 눈빛으로 말한다.

"그래, 좋아."

상현은 쑥스럽게 웃으며 말한다. 벌써 책을 낸 것 같다.

모두 적은 소원을 트리에 건다.

"너희들의 소원이 이루어지길 선생님이 간절히 기도할게."

이현이 말한다.

"자, 그럼 영원이 소원을 들어주러 바닷가에 가볼까?"

상현이 말한다.

진한 회색 갯벌이 눈 앞에 펼쳐진다. 갯벌은 서해가 부리는 마법 같다. 이 추운 겨울날, 아이들은 그 갯벌 속으로 겁 없이 달려 나간다. 달리기 경주를 하는 것 같다.

이현은 갯벌이 신기하다고 생각한다. 동해에서는 볼 수 없는 풍경이다. 행복도에 오기 전 이현에게 바다는 동해가 전부였다. 동해는 서해와 비교해 바닷물이 더 진하게 푸르고, 해안선도 깨끗하고 깔끔하다. 섬이 없는 까닭이다.

처음에 서해를 봤을 때 물이 흐리고 흙탕물같이 누리끼리한 게 정말 바닷물일까 싶었다. 해안선도 섬이 많아 지저분하다.

하지만 시간이 지나 느낀 건 그게 서해의 매력이었다. 시시각각 보여주는 갯벌의 풍경도 해안선도 지저분한 게 아닌 다채로움이었다. 행복도에 살지 않았다면 이런 서해의 매력을 알았을까. 이렇게 가까이 그리고 오랫동안 서해를 바라볼 수 있었을까.

"애들아, 너무 멀리 가지는 마, 위험해!"

상현이 아이들에게 소리친다. 아이들은 듣는 둥 마는 둥 한다. 상현과 이현은 모래사장에서 롱패딩을 입고 있다. 겨울바람에 코끝이 시려온다.

"오늘이 아이들과 함께하는 마지막 크리스마스네."

이현이 롱패딩에 손을 넣고, 말한다.

"2019년도 이렇게 지나가는구나."

상현이 핫팩을 만지며 말한다.

"쓰고 있는 소설은 잘 써져?"

이현이 코를 훌쩍이며 상현에게 묻는다.

"응, 대충 줄거리만 완성했어. 소설 제목은 행복도 사람들이야."

"행복도 사람들. 행복도에 있는 사람들 이야기야?"

"응, 나중에 완성하면 너한테도 보여줄게."

"이름만 들어도 벌써 재밌을 것 같아. 그럼 나도 읽고 나서 그 이야기에 어울리는 그림을 그려줄게."

"오, 고마워, 그림이 아깝지 않도록 더 열심히 쓸게."

상현은 신나서 말한다.

"고맙긴, 좋은 글에 대한 보답인걸."

"크리스마스 선물은 뭐 받고 싶어? 원하는 거 있으면 말해. 다 들어줄게."

상현이 자신 있게 말한다.

"아이들과 보내는 지금이 나에게는 크리스마스 선물 같아."

이현이 갯벌에서 노는 아이들을 보며 말한다.

"어쩌면 행복도여서 가능했을지도 모르지."

상현이 나지막이 말한다.

"그래서 행복도였나 봐. 아이들을 보면 행복할 수 있는 섬이어서. 아이들이 행복한 섬이어서."

이현도 흐뭇하게 웃으며 말한다.

"맞아, 아이들이 순수하고 사랑스러웠어. 너는 이 섬에 있는 동안 행복했어?"

상현이 이현에게 묻는다. 이현은 상현을 바라본다. 상현은 진심으로 묻는 것 같은 눈빛이다. 이현은 갯벌로 눈길을 돌린다.

"적어도 아이들과 함께 있는 순간만큼은."

"그렇지 않은 순간은?"

상현의 질문은 집요하다.

"그렇지 않은 순간은..."

이현은 말끝을 흐린다. 표정이 어두워진다. 시선은 신발 끝에 있다. 상현은 말없이 기다려 준다.

"모든 순간이 행복하지는 않았어. 나는 언제 어디서나 행복할 수 있는 사람이라고 생각했는데 사실은 행복도에서 행복하지 않다는 걸 인정하기까지 이 긴 시간이 필요했는지 모르겠어."

상현은 이현을 바라본다. 이현도 상현을 바라본다.

둘은 눈이 마주친다.

"나랑 다시 부산으로 돌아가지 않을래?"

상현이 묻는다.

"왜?"

"우리의 고향이니까. 살기에 마음도 더 편할 테고."

"아직은 잘 모르겠어. 난 인천에서 살고 싶어."

이현이 말한다.

"그 이유는?"

"난 이제 인천 사람이니까. 부산에 돌아가도 아무것도 없는걸. 가족이 있는 것도 아니고, 연락하고 지내는 친구도 없어. 섬이 아닌 인천 육지는 또 어떤 곳인지 궁금해."

이현은 미소를 지으며 말한다. 하지만 이내 표정이 어두워진다.

"내가 행복도를 떠나서도 잘 살 수 있을까?"

이현은 혼잣말처럼 중얼거린다. 한숨을 내쉰다. 입에서 김이 가득 나온다.

"그럼, 거긴 섬이 아닌 새로운 세상인걸. 이렇게 괴롭지도 외롭지도 눈물이 나지도 않을 거야. 행복하고 너를 응원하는 사람들이 많은 세상일 거야."

상현은 말없이 손을 내민다. 이현은 말없이 그 손을 잡는다. 손이 참 따뜻하다.

"내가 너의 옆에 있을게."

상현이 말한다. 그리고 놀리듯 한 마디 덧붙인다.

"물론 흰 피부에 쌍꺼풀이 있는 사람은 아니지만."

이게 무슨 말이지, 이현은 얼굴을 찌푸리고 생각한다.

"아."

상현이 왜 그런 말을 했는지 알 것 같다. 보라색 일기장.

"이래서 남의 일기장은 훔쳐보는 게 아니라니까."

이현은 상현의 어깨를 툭툭 때린다.

"미안해, 나도 절박해서 어쩔 수 없었어."

"선생님!! 저희랑 술래잡기해요!"

아이들이 두 사람을 부른다. 자기들을 봐달라고 두 팔을 흔든다.

아이들은 추위를 잊을 만큼 해맑게 웃고 있다.

"다들 도망가. 선생님이 술래야."

상현은 갯벌로 달려 나간다. 모여 있던 아이들은 상현을 피해 흩어진다. 아이들의 웃음소리가 갯벌을 가득 채운다.

"선생님도 같이 놀아줘."

이현도 달려 나간다. 끝없는 갯벌로. 새로운 세상으로.

<고백>

호텔 로비에 여행객들이 오가고 있다. 로비 한쪽에 테이블들이 놓여 있다. 테이블을 중간에 두고, 이현이 누군가와 소파에 앉아있다. 테이블 위에는 큰 상자 하나가 있다.

"정말 죄송합니다."

이현은 소파에서 일어나서 고개 숙여 사과한다. 사과를 받는 사람은 지배인이다. 두 사람의 표정은 진지하다.

"이건 뭔가요?"

지배인은 상자를 가리킨다.

"나연 언니 것이에요. 다시 돌려드리려고 합니다."

이현은 상자를 지배인 쪽으로 내민다.

"제 것도 아니고, 잠시 빌린 것이었어요. 이 상자에 담긴 건 귀중품들이고, 옷이나 부피 있는 물건은 택배로 부치겠습니다."

이현은 차분하게 말한다.

지배인은 아무 말이 없다. 이현이 자신을 속인 것에 대해 화를 내거나 따지지 않는다. 상자의 내용물도 확인하지 않는다.

이현은 생각에 잠긴 지배인의 눈치를 살피다가 입을 연다.

"언니가 죽은 건 다 제 탓이에요. 제가 애초에 언니를 만나러 오지 않았다면 언니가 행복도에 들어갈 이유도 없었으니까요. 행복도에 들어가지 않았으면 이런 일도 없었을 거예요. 정말 죄송합니다."

이현은 다시 일어나서 고개를 숙인다. 백번 사과를 해도 할 말이 없다.

"그건 처음부터 다 알고 있었습니다."

지배인은 테이블에 놓인 잔을 든다. 허브차다. 마치 수양하는 사람처럼 차를 천천히 한 모금 마신다.

이현은 어리둥절한 표정으로 지배인을 바라본다. 무엇을 처음부터 다 알고 있었다는 건지 이해가 안 간다.

"나연 양이 호텔을 떠나던 마지막 날 저를 찾아왔습니다. 아마 이현 씨가 나연 양을 찾아온 날이었을 겁니다. 그때 나연 양이 저에게 간곡히 부탁하셨습니다. 자기 동생을 잘 지켜달라고 말이지요. 자기에게 무슨 일이 생긴다고 할지라도요.”

지배인은 차분하게 말한다. 이현의 눈시울이 붉어진다.

“저는 알겠다고 말했습니다. 나연 양이 한 부탁이면 중요하다고 생각했죠. 나연 양은 부탁을 쉽게 하는 사람이 아니었으니까요.”

지배인은 한숨을 들이마신다.

“혹여 자기에게 무슨 일이 생겨도 동생의 결정을 믿고 따라달라고 했습니다. 그게 어떤 결정이라도요. 전 나연 양의 결정을 따랐을 뿐입니다. 나연 양도 그리고 이현 씨도 최선이었을 겁니다. 저 역시도요. 이 세상에 결말을 모두 알고 선택을 하는 사람은 없죠.”

“제가 언니가 아니라는 것을 알고도 모르는 척해주신 거였군요. 언니의 부탁 때문에요.”

“나연 양이 그런 부탁을 안 했어도 이현 씨가 나연 양이 아닌 것은 처음부터 알아봤을 겁니다. 하이힐을 불편해하는 걸음걸이나 나연 양이 싫어하는 탕수육을 맛있게 먹는 모습을 보고 말이죠.”

지배인은 처음으로 옅은 미소를 짓는다. 입가에 주름이 자연스럽다.

“제 연기가 서툴렀네요.”

이현의 얼굴이 붉어진다. 머리를 긁적인다.

“또 나연 양의 평소 차가운 말투를 따라 하려고 하지만 그 속에 따뜻한 사람이라고 느껴졌죠.”

지배인은 몸을 뒤로 젖히고 더 편안하게 앉는다. 그리고 눈을 감는다.

“이야기를 듣고 나니 마음이 더 무거워지네요.”

이현은 작은 목소리로 말한다.

“나연 양이 선천성 심장 질환이 있다는 건 알고 계셨습니까?”

지배인은 다시 눈을 뜨고 이현에게 묻는다.

“네.”

이현은 고개를 끄덕인다.

“몇십 년 전, 나연 양의 부모님께서 입양을 알아보셨을 때 이야기입니다. 원래 입양하려던 아이는 나연 양이 아니라 이현 씨였습니다.”

“이건 처음 듣는 이야기네요.”

이현은 얼굴을 찌푸린다.

“쌍둥이 자매지만, 둘을 입양하기에는 어려움이 있고, 동생을 더 귀엽게 본 것이죠. 그렇게 입양 절차를 밟으려고 했으나 동생이 아닌 언니를 입양하겠다고 번복하셨습니다.”

“왜죠?”

이현이 묻는다.

"심장병을 앓는 나연 양이 수술을 여러 번 해야 한다고 들었기 때문이죠. 건강한 아이보다는 많은 보살핌이 필요한 아이를 키우자는 마음이었지요."

지배인은 두 손을 모으고 말한다.

이현은 처음 듣는 이야기에 머릿속이 뒤죽박죽 복잡하다.

"언니도 이 이야기를 알고 있었나요?"

이현이 묻는다.

"네, 어떻게 알게 되셨는지는 저는 모르지만, 동생의 것을 빼앗은 것 같다고 여러 번 말씀하셨지요. 자기가 받고 자란 부모님의 사랑도 화목한 가정도 부유한 집안도 자기 것이 아니라고요. 자기가 아프지 않았다면 동생이 누려야 할 것이라고 하셨죠. 행복도에 대신 들어간 것도 그런 이유였을지 모릅니다."

지배인은 차를 한 잔 마신다. 이현은 지배인의 말에 깊은 생각에 빠진다. 로비는 사람들의 바쁜 움직임으로 여전히 부산스럽다.

"언니가 그런 생각을 했는지 정말 몰랐어요."

이현은 울먹이며 말한다. 그리고 솔직하게 고백한다.

"저도 비슷한 생각을 한 적이 있어요. 이 호텔에서 언니를 마지막으로 만났을 때요. 언니의 삶이 제 인생이었으면 어땠을까 하고요. 제 인생은 시궁창 같은데 저와 똑같이 생긴 언니의 삶은 편안하고 화려해 보였거든요. 가족도 있고, 돈 때문에 아등바등 살 필요도 없고, 교사가 아닌데도 행복해 보였죠."

"하지만 동생에게 진 빚이 마음속에 많으셨을 겁니다."

"네, 저도 언니의 삶을 살면서 보이는 게 전부가 아니었다는 걸 뼛속 깊이 새겼어요. 물론 제가 입양을 갔다면 제 삶이 또 달라졌겠죠. 하지만 이미 다 벌어진 일인 걸요."

이현은 말을 멈추고 차를 한 모금 마신다.

"그러니 그건 언니가 누릴 삶이고, 행복도에서의 삶은 제가 감당하는 게 맞았던 거예요. 언니가 살아있다면 이 말을 꼭 해주고 싶어요. 빚진 마음으로 살아가지 않아도 된다고요. 이제는 그 말도 할 수가 없네요. 전 언니를 지켜주겠다는 약속도 지키지 못했고, 언니에게 해준 것도 없어요. 앞으로는 제가 언니에게 빚진 마음으로 살아갈 것 같은데 어떻게 갚아야 할까요."

마지막 말은 질문이 아니다.

더 갚을 길이 없다는 고백이다.

"지금처럼 잘 살아가는 것으로 갚으면 됩니다. 정말 이현 씨가 잘살기를 바랐을 테니까요."

지배인이 말한다.

<이젠 진짜 안녕>

이현과 상현이 행복도를 떠나고 2년이 지나간다. 두 사람은 한 묘지를 찾아간다. 푸릇푸릇하게 자라나는 초록빛 잔디를 밟는다. 두 사람은 한 묘비 앞에 멈춰 선다. 벚꽃잎이 흐드러지게 떨어지고 있다. 봄을 품은 따뜻한 바람이 이현의 검은색 원피스를 스쳐 지나간다.

"언니, 내가 왔어."

이현은 묘비 앞에 백합꽃을 내려둔다.

두 사람은 말없이 두 손을 모으고 묵념한다. 고요한 숲에 작은 새소리가 퍼진다.

"언니, 정말 미안해.

내가 해줄 수 있는 게 이것밖에 없어서."

이현은 잔디 위에 무릎을 꿇는다.

“지금도 많이 보고 싶어.”

이현은 참아왔던 말을 한다.

“늦었지만, 편안하게 하늘나라로 가셨길 바랍니다.”

상현도 손에 든 책을 조용히 백합꽃 옆에 내려놓는다. 소설책 제목은 ‘행복도 사람들’이다. <행복도 사람들> 위에 흩날리는 흰 벚꽃잎들이 내려앉는다.

에필로그
<당신의 이야기를 듣고 싶어요>

작가는 하나의 작품을 쓰지만, 그 작품을 읽는 독자에 따라 새로운 작품으로 재탄생한다고 나는 믿는다. 어떤 작가는 작가의 손을 떠난 작품은 온전히 독자의 몫이라고도 한다. 하나의 작품을 읽고도 우리는 다르게 느끼고, 생각하고, 받아들인다. 세상은 하나인데 각자 다르게 바라보고 살아가고 있는 것처럼 말이다.

내가 쓴 글을 사람들에게 보여주면 독자의 반응을 바로 눈앞에서 볼 수 있다. 내 글을 읽고, 행복해하는 독자들의 표정을 보는 것, 예상하지 못한 생각을 듣는 것, 읽는 사람의 경험에서 나오는 다양한 이야기를 듣는 것. 전부 내 마음을 가득 채우는 행복이었다.

<행복도 사람들>은 나의 이야기지만, 나는 내 이야기를

끝까지 읽은 당신의 이야기도 궁금하다. <행복도 사람들>을 읽으며 어떻게 느끼고 생각했는지 들어보고 싶다. 그게 신랄한 비판일지라도 말이다. 나는 들을 준비가 되었고, 이제 당신의 이야기를 들려줄 차례다.

2024년 8월, 더운 여름
<행복도 사람들>을 마무리하며
곽민경 드림.